De la même auteure

Adulte
L'Hiver retrouvé, Éditions Triptyque, 2009.

Jeunesse
Petit Panda rêve au bleu, Éditions Panda, 2015.
Petit Panda préfère le jaune, Éditions Panda, 2013.

Le Grand Galop

Projet dirigé par Pierre Cayouette, éditeur

Conception graphique : acapelladesign.com
Mise en pages : Pige communication
Révision linguistique : Sylvie Martin et Chantale Landry

Québec Amérique
329, rue de la Commune Ouest, 3ᵉ étage
Montréal (Québec) Canada H2Y 2E1

Téléphone : 514 499-3000, télécopieur : 514 499-3010

Nous reconnaissons l'aide financière du gouvernement du Canada par l'entremise du Fonds du livre du Canada pour nos activités d'édition.

Nous remercions le Conseil des arts du Canada de son soutien. L'an dernier, le Conseil a investi 157 millions de dollars pour mettre de l'art dans la vie des Canadiennes et des Canadiens de tout le pays.

Nous tenons également à remercier la SODEC pour son appui financier. Gouvernement du Québec – Programme de crédit d'impôt pour l'édition de livres – Gestion SODEC.

Catalogage avant publication de Bibliothèque et Archives nationales du Québec et Bibliothèque et Archives Canada

Gagnon, Marie-Noëlle
Le grand galop
(Collection Littérature d'Amérique)
ISBN 978-2-7644-2955-6 (Version imprimée)
ISBN 978-2-7644-2994-5 (PDF)
ISBN 978-2-7644-2995-2 (ePub)
I. Titre. II. Collection : Collection Littérature d'Amérique.
PS8613.A448G73 2015   C843'.6   C2015-941007-X
PS9613.A448G73 2015

Dépôt légal, Bibliothèque et Archives nationales du Québec, 2015
Dépôt légal, Bibliothèque et Archives du Canada, 2015

La citation de la page 57 est tirée du poème *Un oiseau s'envole* de Paul Éluard, publié dans l'ouvrage *Capitale de la douleur* (Gallimard, 1926).

MARIE-NOËLLE GAGNON

Le Grand Galop

ROMAN

QuébecAmérique

*Pour Gagrou,
ma maman vraie
et imaginée.*

Dans le monde qui est, il n'y a pas ce qu'il veut. Dans le monde qu'il fera... mais allez donc faire un monde! N'importe, mourir à une tâche irréalisable est préférable à vivre sans heurt comme un incliné.

Félix Leclerc, *Le fou de l'île*

Tout viendrait à point, l'amour, le bonheur, l'éternité, il aurait un destin impeccable, comment ne pas y croire, l'avenir était un beau ruban de satin bleu sur lequel il suffirait de tirer pour que tout arrive.

Monique Proulx, *Sans cœur et sans reproche*

Plus vite que le temps qui passe

Toujours, mon imagination me précède. Parce que la vie ne peut pas être banale. Ne l'est ni ne le sera.

La preuve, nous habitons dans cet endroit extraordinaire, comme hors du temps. Ou plutôt au milieu du temps, un endroit où il y a autant d'espace derrière que devant, autant après qu'avant. Et dans cet espace il y a nous. Ce que nous avons été, sommes, serons. N'est-ce pas le meilleur endroit où vivre quand on est amoureux?

Car nous sommes amoureux, bien sûr. Depuis toujours et tous les jours et pour toujours.

Avant que ce toujours commence, il avait bien fallu nous rencontrer, pourtant. Je m'abîmais alors dans un rêve hors de portée pour fuir ce que j'imaginais de la médiocrité lorsque Louis avait fait jaillir son sourire telle une éclaircie et j'avais voulu m'y dorer. Lové dans mes draps blancs, la seule couleur que je tolérais sur mon corps, il s'était appliqué à rassembler tous ces petits grains de sable que je semais entre chaque repli, au fil de la sécheresse de mes heures. Louis avait fait de moi une perle. Et je l'étais restée. Toujours avait commencé.

Et perdure.

— Il faudrait sûrement...

— Oui, mais ta mère pensera...

— Non, je ne crois pas.

Nous sourions, complices, à ces phrases qui ne veulent rien dire pour personne à part nous. Peut-être parfois nous trompons-nous, ne nous comprenons-nous pas à demi-mot comme nous le pensions. Cela a peu d'importance. Ce qui compte, c'est la jubilation de le croire.

Les années coulent sur nos corps et nous nous ébrouons joyeusement à chacun de nos anniversaires, qu'importe le temps qui passe quand celui qui vient n'est pas incertain ? Je ne suis inquiète de rien. Notre avenir est arrivé. Il n'est pas fragile entre nos mains, il se laisse malaxer par nos doigts agiles et patients qui s'entremêlent dans sa pâte souple et prend la forme que nous lui donnons tous deux. Comme celle de notre demeure pleine d'espace et de temps à remplir.

Voilà déjà six ans que nous nichons dans cette maison qui ressemble à une cabane à oiseaux, haute et étroite, avec une série d'ouvertures circulaires donnant sur autant de pièces, peintes aux couleurs de nos humeurs. Notre maison n'a pas les sapins, les pignons et les balançoires dont je rêvais enfant, mais ces rêves-là sont depuis longtemps pliés et rangés dans un tiroir fleurant bon la lavande.

Dans cette maison-ci, la vraie, notre amour s'embrase et nous nous endormons ensemble chaque soir dans notre chambre écarlate.

Une fois installée dans ses bras et dans le sommeil, je pars à la rencontre des songes de Louis, sur la pointe des pieds. Délicatement, je parcours ses pensées, lui laisse parcourir les miennes, parfois nous nous tenons

la main pour contempler cette étendue de rêves parta-
gés, ces délires offerts sans crainte, car aucun d'eux ne
nous effraie, aucun d'eux n'est secret, aucun d'eux n'a
le pouvoir d'entacher cet amour parfait. Nous nous
réveillons fourbus, émus, il n'y a plus de mots à se dire
au déjeuner et nous partons travailler encore pleins
des rêves de la nuit.

. . . .

Dans cette maison-ci, la vraie, notre amour s'embrase
encore certains soirs lorsque le sourire de Louis pétille
d'étincelles qui font chatoyer les murs de notre chambre
écarlate, mais, le plus souvent, il me tourne le dos et
s'endort recroquevillé sur ses songes, me laissant libre
de m'envoler vers le grenier mauve lilas, celui de mes
désirs inavoués et inavouables. Ou de trotter vers la
cuisine dorée, celle où je me concocte un avenir étincelant comme les yeux d'une pouliche. Ou de plonger
dans les eaux troubles de la salle de bain aussi noire
que de l'encre de pieuvre, où les cauchemars font couler
mes yeux avec un doux délice. Un délice que Louis ne
comprendrait probablement pas s'il déambulait avec
moi dans mes songes, aussi je ne raconte rien lorsque
revient le jour.

J'ignore de quoi ses propres rêves sont faits, j'aime à
croire qu'ils sont quelquefois les mêmes que les miens
les matins où il m'attend doucement dans le sommeil
et dans une jolie chambre bleue et claire. Il arrive malgré
tout que je m'éveille seule entre des murs vert pomme
qui frémissent comme un feuillage au soleil tandis que
lui s'habille et ne déjeune pas dans une chambre où
l'aube est encore grise.

Lorsque la grisaille s'étire et vient étendre sur moi sa mélancolie, je repense à cette époque bénie du début de notre amour où chaque minute de chaque heure de chaque journée était une galopade vers des étreintes folles, du plaisir fou, où chaque nuit nous nous retrouvions pour dormir ensemble, mes jambes et mes bras aux siens emmêlés comme des racines creusant le sol. C'est la vie d'adulte qui est différente de ce que j'imaginais, bien sûr, rien n'est jamais aussi parfait qu'en imagination, mais, avec le temps, heureusement j'ai appris à colorier mon bonheur sans dépasser les lignes.

Lorsque je me la rappelle, cette époque de passion violente et pure, de rêves débridés, qui allait devenir le terreau de notre mythologie, je me demande souvent du même élan ce qu'a véritablement été l'éclosion de notre amour comme je m'interroge sur ce qu'a véritablement été mon enfance. Je m'en souviens bien, pourtant, je pourrais réciter par cœur la conversation que nous avons eue lors de notre premier rendez-vous chez le glacier, tout comme je pourrais raconter l'été de mes onze ans dans des fragments de détails, cette vision époustouflante d'une funambule perchée sur un fil tel un bel oiseau blanc, mais je me demande ce qu'ils ont été, hors de ma mémoire. Et si je suis la seule à éprouver un mélange de tristesse et de soulagement devant l'impossibilité de ne jamais le savoir.

De l'enfance, je me souviens avant tout du champ. J'ai toujours dit LE CHAMP, comme on dit LE PÈRE NOËL ou L'HOMME DE MA VIE pour mettre au clair qu'il s'agit de quelque chose d'aussi unique qu'irremplaçable, d'aussi vrai que toutes les choses vraies, et c'est tout, et c'est ça.

Ce n'était même pas un champ, ou si peu. C'était un dégradé de nature, une cour d'école qui devenait une plaine d'herbes folles qui devenait un boisé qui devenait une forêt. Un terrain de jeu en crescendo qu'à neuf ans, j'avais ainsi condensé pour le nommer à ma mère. *Où tu vas? Au champ.*

J'y ai passé tous les caps de ma jeunesse, ceux que je souhaite me rappeler, à tout le moins. Cette fois où le froid et le verglas avaient pétrifié l'eau et les arbres d'un marais pour me permettre de pénétrer dans ce havre si beau, si beau qu'on ne pouvait supporter de le voir qu'une seule fois. Cette autre fois où un vent de fin d'été avait fait un grand ménage sur la plaine et avait balayé les derniers pétales des fleurs qui, en s'envolant, s'étaient transformés en libellules. Et cet arbre au tronc tordu et aux fleurs mauves qui m'était d'abord apparu en rêve et sous lequel j'avais fait l'amour avec Louis, la première fois.

Ça me fascine d'imaginer qui je serais sans cette enfance qui fut la mienne, sans cette rencontre amoureuse qui fut la nôtre.

. . . .

Ce n'était même pas un champ, ou si peu. C'était un dégradé de nature, une cour d'école qui devenait une plaine d'herbes folles qui devenait un boisé qui devenait une forêt. Un terrain de jeu en crescendo qu'à neuf ans, j'avais ainsi condensé pour le nommer à ma mère. *Où tu vas? Au champ.*

J'y ai passé de beaux moments de ma jeunesse, de ceux qui remontent encore à la surface de ma mémoire comme des bulles de joie. Cette fois où le froid et le verglas avaient pétrifié l'eau et les arbres d'un marais pour me permettre de pénétrer sous une voûte de beauté où j'avais espéré retourner chaque année, mais il n'avait plus verglacé. Cette autre fois où un vent de fin d'été avait balayé les libellules des derniers pétales des fleurs comme s'il faisait le grand ménage de la plaine avant de la fermer pour l'hiver. Et cet arbre au tronc tordu et aux fleurs mauves sous lequel j'avais rêvé de faire l'amour avec Louis, la première fois. Mais la première fois, j'avais fait l'amour dans un lit, comme tout le monde.

Cela me fascine d'imaginer qui je serais sans cette enfance qui fut la mienne, sans cette rencontre amoureuse qui fut la nôtre. Sans ces parents qui furent les miens avec ces vies qui furent les leurs, et ainsi de suite jusqu'à ce que j'aie la tête qui tourne à force d'inverser *avec* et *sans*. Il y a des années que j'imagine des réponses à ces questions, remonte les embranchements de ma vie pour voir vers quoi auraient abouti les autres voies de chaque intersection. Lorsque ces épanchements durent trop longtemps, je secoue la tête pour en faire tomber ces pensées et je me mets, selon le moment de la journée, à courir, à sautiller, à danser. À pédaler. J'espère chaque fois semer mon imagination, mais elle est toujours plus rapide.

J'enfourche mon vélo jusqu'au dernier mois de l'automne pour me rendre au travail, j'adore ces débuts de journée avec le vent dans les cheveux. Ma jupe et mes boucles qui tourbillonnent attirent le regard des hommes et je me dis que peut-être... Peut-être me trouvent-ils jolie? Et à cette pensée, je souris. En quelques coups de pédales, je me renouvelle en femme aux yeux charbonneux, à la chevelure toujours détachée, déployée comme un fanion, avec une démarche qui la ferait se balancer gaiement contre mon dos, cette incroyable chevelure, gauche droite gauche droite gauche droite puis un grand fischhhhh soyeux lorsque je la rejetterais d'un petit mouvement de tête pour voir derrière moi qui m'a suivie quand j'ai dit *qui m'aime me suive*, et ils sont plusieurs, ils sont tant, ils sont plein. Et je pédale en souriant, portée par cette idée, par le vent dans mes cheveux que je nouerai en arrivant au travail.

Souvent, je fais un léger détour pour traverser le parc, celui avec de grands arbres au feuillage découpé par des faisceaux de lumière. Je renverse la tête et je les admire, heureuse de penser que ce sera une belle journée, doublement heureuse lorsque l'air embaume le gazon que l'on vient de tondre. Les meilleurs jours.

Mais il y a ceux où, parfois, un homme me tend une fleur ou un compliment et où, dans un élan presque violent, je jette ma bicyclette sur le côté et l'entraîne dans un bouquet d'arbres. J'ai l'envie irrépressible de ses mains, de son désir partout sur moi, dedans. Je suis en colère contre moi, contre ce besoin que j'ai d'allumer puis d'éteindre l'envie, je suis en colère et mes gestes sont brusques, agressifs, j'exige que les siens le soient aussi. Je veux des baisers avec une langue qui percute la mienne, les doigts d'une main dans mes cheveux qui les tirent presque, non, qui les tirent tout à fait, les doigts de l'autre main qui fouillent sous ma jupe et m'arrachent ma culotte, ce désir-là est sale, brutal, enivrant. Neuf.

Plus tard, lorsque je remettrai ma culotte et que j'enlèverai les brins d'herbe de ma jupe, je me dirai que ce n'est rien, voyons, que ce ne sont que des folies qui se dissiperont rapidement comme de la vapeur d'eau.

Qu'elles doivent être consommées pour devenir autant de preuves de leur médiocrité comparativement à l'immensité de mon amour pour Louis, à la ténacité de mon désir. Mon désir propre, doux, ennuyant.

. . . .

Il y a ces jours où, parfois, un homme me tend une fleur ou un compliment et où, dans un élan presque violent, je l'ignore et pédale, pédale le plus vite possible et m'éloigne de lui, de quiconque pourrait devenir une tentation et dessinerait une craquelure dans mon désir que je n'envisage que pour un seul. Ces jours-là, j'arrive au travail le visage empourpré autant de l'essoufflement que de la honte d'avoir eu si peur, d'avoir cru nécessaire de pédaler si vite, plus prudent.

Je travaille au bureau de poste, je trie les lettres, parfois les colis. C'est une tâche patiente et douce. J'épluche le courrier comme je le ferais d'une infinité de grosses pommes de salade, le papier craque souvent telle de la belle laitue fraîche. Le midi, je mange mon sandwich et mes raisins verts en compagnie de mes collègues, Phil et Flore, frère et sœur que j'aime et qui savent apprécier la bonne odeur du papier.

C'était eux, déjà, qui supervisaient le bureau de poste le jour où j'y étais arrivée comme vers un grand échec. Ce n'était pas ce que j'avais voulu, travailler là, c'était à peine ce que j'avais pu.

J'avais été embauchée par l'intermédiaire d'une agence, aussi n'avais-je jamais mis les pieds dans la petite bâtisse de briques rouges qui se dresse à l'orée de la ville. J'étais entrée sur l'heure du lunch, la tête baissée, la main tripotant la ganse de mon sac.

Flore était penchée sur des amoncellements de papier, elle avait laissé son Tupperware de spaghettis de côté et pliait de ses petits doigts délicats des feuilles blanches roses vertes bleues jaunes qui s'élevaient et voletaient par la fenêtre dès qu'elle les relâchait. Je l'avais observée longtemps, fascinée, jusqu'à ce que ma curiosité soit plus forte que ma gêne et que je lui demande *que fabriques-tu?* Elle avait levé les yeux et répondu *des oiseaux de papier*, son frère avait alors surgi et avait renchéri, *la nouvelle génération des pigeons voyageurs*. Je m'étais approchée et j'avais vu que, sur chaque feuille que Flore pliait, Phil avait écrit un poème, *ma sœur et moi envoyons nos pigeons aux quatre coins du monde pour enseigner les saisons.*

J'avais attrapé un oiseau au vol, sur son aile j'avais lu *Tes joues sont aussi rouges / Que le ketchup sur ma tourtière / Tu es belle comme une première neige.* Sur un autre, *Des étoiles déboulent du ciel / Je fais le même vœu pour chacune d'elles / Nos rires crépitent comme un feu de camp.* Puis j'avais regardé ces oiseaux s'envoler vers des contrées où leurs mots, peut-être, ne voudraient rien dire. Je m'étais imaginée, moi, voir apparaître à ma fenêtre l'un de ces poétiques pigeons de papier (les PPP, ainsi que les surnommaient Phil et Flore), et j'avais souri, j'avais déposé mon sac et je m'étais présentée. Dès lors, il m'était apparu supportable de travailler au bureau de poste avec cette drôle de paire que j'adorais déjà. La vie pouvait somme toute n'être faite que de ce travail et de mon amour pour Louis.

Aujourd'hui encore, une ou deux fois par semaine, le frère et la sœur continuent de semer aux quatre vents leurs oiseaux racontant le temps qui passe et le temps qu'il fait.

Avec Phil et Flore, des liens se sont tissés serré au fil des années, leur permettant de rejoindre le cortège beau et fou et gai de ceux que j'aime et dont je suis miraculeusement aimée. C'est avec eux, les Aimés, que j'entortille les racines qui creusent mon sol, mon âme, celles qui s'enfoncent profondément et qu'il faudrait dégager à la pelle si par malheur un jour il fallait les dégager.

Il n'y a toutefois qu'avec le frère et la sœur que je peux parler de nos journées passées penchés au-dessus du papier, des timbres somptueux comme des œuvres d'art, des cartes postales que nous lisons chaque fois à voix haute, si rares soient-elles, des lettres mysté-rieuses qui parfois aboutissent entre nos doigts.

Un jour arrive l'une d'elles, une enveloppe précieuse, parfumée, traversée par une écriture de femme, adres-sée à un homme. Le mien. L'envie forte, irrésistible de l'ouvrir, de la lire s'empare de moi. Je lève les yeux, Phil et Flore se dressent plus loin, le parfum de la lettre ne s'est pas encore rendu à eux. Sans pouvoir m'en empê-cher, je glisse l'enveloppe dans la large poche de ma jupe, fébrile, curieuse. Apeurée. Je relève vite la tête, Phil et Flore n'ont rien vu. Lire une carte postale, d'accord, mais ouvrir une lettre, jamais. Même parfumée et adres-sée à l'homme que j'aime et qui est censé m'aimer.

Cachée dans les toilettes, je décachette l'enveloppe. Ce sont des mots d'amour, bien sûr, quels autres mots parfume-t-on? Le cœur tambourinant, je laisse glisser

mes yeux sur les phrases de passion, de projets, de promesses. Mon regard file jusqu'à la signature, bien sûr,
cette fille, je la connais. Ma haine et ma colère gonflent
comme une montgolfière, brûlante, immense, magnifique. Je ramasse mes affaires et pars en courant sous
le ciel blanc qui couve sa première neige, j'attaquerai
Louis de mes mots et de mon chagrin les plus violents
dès qu'il passera la porte, peu importe les excuses, il
n'y aura pas de pardon. Les larmes dévalent mes joues
en gros bouillons désordonnés, j'ai envie de lever le
poing dans ma course et de hurler *trahison, double
trahison !*

La flamboyance du drame a quelque chose de récon-
fortant.

. . . .

Un jour arrive l'une d'elles, une enveloppe précieuse,
parfumée, traversée par une écriture de femme, adres-
sée à un homme que je connais à peine, et l'envie forte,
irrésistible de l'ouvrir, de la lire s'empare de moi. Je
lève les yeux, Phil et Flore se dressent plus loin, le parfum de la lettre ne s'est pas encore rendu à eux. Sans
pouvoir m'en empêcher, je glisse l'enveloppe dans la
large poche de ma jupe, un peu fébrile, surtout curieuse.
Je relève vite la tête, Phil et Flore n'ont rien vu. Lire une
carte postale, d'accord, mais ouvrir une lettre, jamais.

Cachée dans les toilettes, je décachette l'enveloppe.
Ce sont des mots d'amour, bien sûr, quels autres mots
parfume-t-on ? Le cœur tambourinant, je laisse glisser
mes yeux sur les phrases de passion, de projets, de promesses. Mon regard file jusqu'à la signature, bien
sûr, cette femme, je ne la connais pas. En remettant

délicatement la lettre dans l'enveloppe, les mains légèrement tremblantes, je me demande si l'amoureuse trahie la trouvera. Je me surprends à l'espérer, et qu'avec le chagrin et la colère vienne également l'étrange réconfort d'éprouver des émotions aussi fortes et aussi pures. La grande colère. Le grand chagrin. Je m'asperge le visage d'eau froide avant de retourner travailler en chantonnant.

Qu'il est bon, le midi, de parler de mon amour pour Louis entre deux bouchées. Phil et Flore, le menton dans les mains, m'écoutent, assis près de moi dans notre minuscule cuisine sans machine distributrice. Une journée de grande beauté, regardant par la fenêtre les premiers flocons qui tourbillonnent comme mes pensées, comme ma gaieté, je leur dis *il va bientôt m'épouser*. La coupe de vin et le sourire aux lèvres, parce que j'ai décidé de fêter cette certitude, je m'installe contre la vitre froide pour rêver d'elle. Ma certitude. Elle est aussi blanche et pure qu'une robe de mariée.

Il y avait d'abord ce voyage qu'il avait proposé, un voyage dans le désert pour réinventer l'hiver. Dans quelques semaines, quelques jours peut-être, des billets d'avion glissés dans une enveloppe seraient négligemment oubliés sur la table à café. Je trouverais l'enveloppe, l'ouvrirais, un sourire illuminerait mon visage et, en levant les yeux, je les verrais, son sourire et lui, dans l'embrasure de la porte où ils se seraient postés pour me guetter.

Il y a des certitudes telles que celle-là que rien ne peut ébranler. Un rêve si souvent rêvé que bientôt on pourra le superposer à la réalité comme un papier cellophane.

C'est le cœur en fête, avec à peine un petit hoquet, que je rentre à la maison, le soir venu. Louis n'est pas là, je suis déçue, j'avais cette envie si forte de l'embrasser et de lui dire *je t'aime*, et à la question *mais pourquoi tant de débordements ?*, sourire et répondre *pour rien, parce que je suis heureuse, c'est tout.* Mais il n'est pas là.

J'avance dans la maison en enlevant mes mitaines, ma tuque, mon manteau, mais je m'arrête avant d'avoir retiré la seconde manche et mon foulard, ils pendouillent contre mon bras droit tandis que je la fixe.

L'enveloppe. Sur la table à café.

Je m'approche doucement, la prends doucement dans mes mains, l'ouvre. Doucement. Les billets. Je lève les yeux et Louis est là, souriant comme dans ma certitude. J'y croyais et pourtant, pourtant, à voir mon étonnement...

La semaine suivante, nous barricadons notre maison et nous nous envolons vers le désert, là où les grains de sable continuent inlassablement de s'éparpiller. Dans ses bras à chaque instant, je reste quant à moi entière, la perle qu'il a faite de moi il y a des années et qui dure, qui dure malgré le vent qui souffle, malgré l'érosion. Avec les mêmes mots que dans mes rêves les plus beaux, il me dit que sans moi la vie serait triste et froide et sans lumière. Il me dit ce que j'ai toujours imaginé.

Et, comme je l'avais imaginé, je sens dans ma poitrine une force violente qui me confirme que jamais je n'ai rien voulu aussi fort que ce à quoi je viens de répondre oui.

. . . .

J'avance dans la maison en enlevant mes mitaines, ma tuque, mon manteau, mais je m'arrête avant d'avoir retiré la seconde manche et mon foulard, ils pendouillent contre mon bras droit tandis que je le fixe.

Louis. Assis devant la table à café, la mine noire dans la pièce sombre.

Je m'approche doucement, je veux les enlacer, ma certitude et lui.

Mais il me repousse. Dans l'obscurité, ses mots brillent comme des lames et déchirent toutes mes illusions en cellophane, *ça ne fonctionne plus je ne veux plus je ne t'aime plus*. Si des larmes coulaient sur mes joues, peut-être brilleraient-elles aussi, mais je n'ai pas de larmes, qu'une douleur compacte autour de laquelle je me recroqueville. Après ses mots, ce sont les yeux mauves de mes rêves et les yeux jaunes des siens que je vois luire dans la noirceur, ils se regardent en chiens de faïence et je sais pourquoi Louis a choisi de me quitter, je le sais même si je ne le comprends pas encore.

Après de longues minutes (des heures?), une telle fatigue s'abat sur nous que, sans rien dire, nous marchons jusqu'à notre chambre et nous nous allongeons en espérant sombrer dans un sommeil, qui toutefois ne vient pas.

Un petit bruit, tout à coup. Puis une étrange sensation. Celle de ses doigts dénouant tranquillement nos racines emmêlées, chacun de nos souvenirs, chacun de nos gestes quotidiens, pour ne garder que les siens. Alors les larmes se mettent à sourdre comme d'une source profonde et ne tarissent pas, bientôt Louis extirpe une paire de ciseaux pour venir à bout des nœuds, ceux formés par des années et des années de vie à la sienne enracinée. Je pleure et pleure sur cet impensable malheur, dans notre chambre écarlate comme le sang, comme la guerre, notre chambre maintenant triste comme les pierres. Et alors que je ne veux plus, que je ne veux surtout pas, le sommeil m'emporte.

Le lendemain, j'aurai l'impression d'avoir manqué l'un des moments les plus importants de ma vie.

Rêver des rêves neufs

Je pense que ce sera une très bonne affaire de quitter la maison de ma mère. Dans une boîte s'entassent déjà plusieurs petits objets dont j'imagine décorer mon propre foyer, quelques ustensiles de cuisine, des verres et des parasols colorés que j'ai chipés au restaurant où je vais souvent avec mes amis et avec lesquels je leur servirai moi-même des cocktails sucrés. À côté des parasols miniatures, mon ombrelle de dentelle, jaunie et abîmée, mais dont je refuse de me débarrasser malgré les mauvais souvenirs. Et malgré les bons. Il est temps de quitter la maison de ma mère et de laisser les rêves de l'enfance sagement pliés et rangés.

Il est étrange, ce désir si pressant de partir, ce désir si puissant d'un avenir que j'imagine sans cesse, que je peux presque toucher du bout des doigts, doublé d'un désir presque équivalent du passé, le chagrin de tout ce temps enfui, de l'enfance charriée au loin comme par une impitoyable souffleuse et moi, les fesses dans le banc de neige, qui peine à me détourner. Tout sauf le présent ennuyant, décevant.

Mais j'ai honte de cette pensée, dans le présent il y a Louis et j'ai résolu de le laisser irradier sur toute ma vie, et le reste, tant pis. Le reste n'existe que si je l'évoque et je ne l'évoquerai plus jamais, ne m'en souviendrai plus jamais. Je quitterai la maison de ma mère et je laisserai derrière tous ces cahiers dans lesquels j'ai couché des rêves qui ne sont pas arrivés et j'irai ailleurs en rêver des neufs. Que je n'écrirai nulle part.

J'ai dix-neuf ans et je suis prête à ce que la vie arrive. Et elle ne peut arriver ici, dans cette maison entortillée si serré dans la fantaisie que la réalité n'a aucune chance d'y pénétrer, une maison sur laquelle ma mère plane telle une bonne fée. Elle est trop immense pour être vraie, ma mère, je me dis parfois que j'en ai sûrement inventé de grands bouts. Des souvenirs d'elle coulent comme des carrés de sucre dans un thé déjà saturé et s'accumulent en petites collines de douceur. Maman qui garde des paons dans un enclos pour toujours avoir sous la main des plumes avec lesquelles décorer ses cheveux, maman qui chante l'opéra si haut et si bien que des bulles multicolores s'échappent de sa bouche, et je m'amuse chaque fois à essayer de les attraper, maman qui rit tant et tellement que de petites larmes s'accrochent à ses cils et se transforment en diamants, nous les vendons à grand prix aux joailliers de la ville et, au retour, elle m'offre de magnifiques animaux en pâte d'amande que je dévore en commençant par les pattes et en imaginant que ça leur fait mal. Maman qui m'affirme que oui, bien sûr, l'avenir sera fait de tout ce que j'y aurai mis, même un fil de fer et une ombrelle de dentelle. Maman avec qui tous les rêves sont permis.

· · · · · · · ·

J'ai dix-neuf ans et je suis prête à ce que la vie arrive. Et elle ne peut arriver ici, dans cette maison embrumée de tristesse sur laquelle ma mère plane tel un mauvais sort. Elle est trop immense pour être vraie, ma mère, je me dis parfois que j'en ai sûrement inventé de grands bouts. Des souvenirs d'elle coulent comme des cuillérées de sel dans une eau déjà saturée et s'accumulent en petites buttes d'amertume. Maman qui garde des corneilles dans une grande cage pour toujours avoir sous la main des oiseaux de malheur pour l'accompagner, maman qui crie si haut et si fort que des grêlons s'échappent de sa bouche tandis que je m'enfuis par crainte d'en être frappée, maman qui pleure tant et tellement que de petites gouttes de plomb s'accrochent à ses cils et la gardent couchée, les yeux fermés, des jours durant, pendant lesquels je grignote des bouts de fromage, silencieuse dans la maison silencieuse. Maman qui m'affirme que non, bien sûr, l'avenir ne sera pas fait de ce que j'y aurai mis, surtout pas un fil de fer et une ombrelle de dentelle. Maman avec qui les nuits ne se peuplent que de cauchemars, et les jours aussi.

Je pense que ce sera une très bonne affaire de quitter la maison de ma mère.

Je l'entends qui vient, ses jupes noires froufroutantes autour de ses grandes jambes, à ses cheveux les corneilles qui sont éternellement agrippées et qui ponctuent ses déclarations les plus sinistres par des croassements fort à propos. Aujourd'hui, elle en a après nos projets de déménagement, à Louis et moi. Bien sûr, elle n'a de cesse de me le reprocher. De vouloir l'abandonner. De ne pas l'aider. De ne plus l'aimer.

Croa !

Que, de toute façon, nous serons incapables de subvenir à nos besoins, moi qui n'ai même pas de travail. Que le salaire de Louis ne compte pas puisqu'à tout moment, il pourrait m'abandonner.

Croa croaaa!

Lorsque ma mère se perche ainsi devant moi, mes épaules se redressent, si je suis debout je plie légèrement les genoux pour mieux absorber le choc, pour faire une prise de lutte à peu importe ce qui franchira ses lèvres et l'envoyer au tapis. Je dois défendre mon bonheur tellement fort qu'au bout du compte, j'y crois plus fort encore.

J'ai dix-neuf ans et je suis prête à ce que la vie arrive, mais ce sont mes vingt ans qui arrivent auparavant, et avec eux l'envie de ne plus me laisser faire. Pour la première fois, mon anniversaire sera célébré par moi.

J'entreprends d'abord de remplir le garde-manger de cassonade, de miel, de sirop d'érable, de sucre blanc, de chocolat, de mélasse, de sucre à glacer. J'ai insisté pour confectionner moi-même mon gâteau et j'ai suivi la recette la plus sucrée que j'aie pu dénicher. La pâte riche s'est gonflée sous la chaleur et je la tartine généreusement de glaçage rose bleu jaune rouge vert orange mauve doré, une couleur pour chaque étage et mon gâteau est un gratte-ciel. Je ris aux éclats lorsque je le dépose sur la table, Louis rit avec moi. Maman, elle, ne rit pas.

Après quelques bouchées, elle veut s'arrêter, mais je fais signe que non, c'est mon anniversaire et je m'offre des représailles. Elle continue donc à enchaîner les bouchées en ne me regardant pas. Je voudrais qu'au moins une fois, une seule, elle prenne conscience de cette jeunesse passée dans les croassements des corneilles plutôt que dans les gazous des clowns et les hip hip hip hourra.

Maman mange la part de gâteau que j'ai placée devant elle, un monticule de chocolat et de glaçage, une montagne. Elle se lève finalement de table, une main sur le ventre, l'autre sur la poitrine, comme pour se garder en un seul morceau. Elle fait un pas, deux, puis un violent hoquet la secoue, les corneilles ne sont pas assez rapides et j'ai vu ce qui est tombé de sa bouche : un jujube.

Maman n'a que le temps de prendre une inspiration avant de se mettre à frémir, comme une machine à sous elle régurgite des dizaines de jujubes, des centaines, puis des dizaines de caramels, des centaines, à la fin c'est une coulée de sucre d'orge qui jaillit de sa bouche et de son nez avant d'aller inonder ses pieds. Exténuée, elle finit par éclater en sanglots, de longues giclées de sirop. Lorsque ses paupières parviennent enfin à se décoller, elle plonge son regard dans le mien et me demande pardon.

Je dois partir au plus vite pendant que je l'aime au plus fort.

Le lendemain, la rumeur se répand et les enfants du voisinage accourent. Toute la journée, ils se régalent des bonbons que j'ai placés dans une grande jarre devant la porte. *Même plus besoin d'enfiler un costume*, disent les uns, *c'est tout de même chouette de se costumer*, disent les autres.

· · · · · · · ·

Je pense que ce sera une très bonne affaire de quitter la maison de ma mère.

Je l'entends qui vient, ses jupes roses froufroutantes autour de ses grandes jambes, à ses épaules les tourterelles qui sont éternellement posées et qui ponctuent ses déclarations les plus enthousiastes par des roucoulements fort à propos. Aujourd'hui, elle s'égaie autour de cette idée qu'elle a eue, celle de faire de moi sa relève.

Rrrrrou!

Que je connais presque le métier à force de l'avoir entendue en parler. Qu'il offre la stabilité, la sécurité. L'aisance, les vacances.

Rrrrrou rrrrou!

Lorsque ma mère tourbillonne ainsi autour de moi, mes lèvres se retroussent en un sourire perplexe, si je suis debout je m'assois pour mieux absorber le délire, pour filtrer peu importe ce qui franchira ses lèvres et le passer dans le tamis de ma rationalité. Je dois l'écouter inventer mon bonheur tellement souvent qu'au bout du compte, j'y crois. Souvent.

J'ai dix-neuf ans et je suis prête à ce que la vie arrive, mais ce sont mes vingt ans qui arrivent auparavant. Maman entreprend d'abord de remplir le garde-manger de caramel, de Nutella, de meringue, de pouding, de marmelade, de Jell-O, de pâte à biscuits. Elle a insisté pour confectionner mon gâteau d'anniversaire et elle a inventé la recette la plus sucrée qu'elle ait pu imaginer. Chaque étage gigote de sa couleur propre, une couleur pour chaque étage et son gâteau est une tour de Pise.

Elle rit aux éclats lorsqu'elle le dépose sur la table, Louis et moi ne rions pas.

Après quelques bouchées, je veux m'arrêter, mais maman fait signe que non. Je mange la part de gâteau qu'elle a placée devant moi, un monticule de chocolat et de glaçage, une montagne. Je me lève finalement de table, une main sur le front et l'autre sur la nuque comme pour empêcher ma tête de tomber et de rouler sur le plancher. Les muscles en guimauve, le cerveau en gibelotte, j'arrive à peine à tenir debout. Avec les mêmes gestes tendres qu'elle avait lors de mon enfance, maman me guide vers ma chambre, pose sa main fraîche sur mon front, tient mes cheveux tandis que je vomis dans la bassine qu'elle a posée près de mon lit.

Allongée, le visage exsangue, je l'observe par l'embrasure de la porte qui cueille au plancher les vestiges de la fête, ses corneilles et ses tourterelles voletant autour d'elle, et je songe à sa vie, à ce que j'en connais, me demande par quels fils la mienne y est inextricablement liée, ceux qui peuvent être dénoués et ceux qui ne le peuvent pas. Au doux sourire qui illumine souvent ses traits malgré les heures plus sombres. Aux jours qui, probablement, ne peuvent se déployer que sous les croassements et les roucoulements chantés en canon.

Alors qu'un dernier relent acide vient m'écorcher le palais, je prends une décision. Celle de me percher paisiblement sur ma propre petite branche de notre arbre généalogique plutôt que de tenter de voler plus haut. Les hauteurs ne m'ont amené que des déceptions, après tout...

Il est temps de cesser de m'empiffrer de chocolat et de délires exagérément sucrés, de laisser les rêves de l'enfance sagement pliés et rangés, et d'imiter ma mère : devenir hygiéniste dentaire.

. . . .

Je pense que ce sera une très bonne affaire de quitter la maison de ma mère. Il est temps de laisser les rêves de l'enfance sagement pliés et rangés. Ils n'existent que si je les évoque et je ne les évoquerai plus jamais, ne m'en souviendrai plus jamais. Je quitterai la maison de ma mère et je laisserai derrière tous ces cahiers dans lesquels j'ai couché des rêves qui ne sont pas arrivés et j'irai ailleurs en rêver des neufs. Que je n'écrirai nulle part.

C'est à voix haute et en duo que je rêve à présent. Louis et moi avons officiellement décidé d'emménager ensemble et chaque jour nous imaginons de quoi sera faite notre maison. Nous rêvons d'une salle à manger orangée avec une grande table autour de laquelle réunir les Aimés. Nous rêvons d'un salon turquoise où plonger dans des livres mystérieux. Nous rêvons d'une chambre écarlate dans laquelle la passion pourrait être débridée. Nous rêvons des rêves multicolores.

J'ai décidé que je n'allais pas étudier ni travailler. Ma vie ne sera pas faite d'un métier. Elle sera faite de Louis et ce sera ça, ce sera tout, toute ma vie autour de mon amour pour lui. Je lui en ai parlé, il a dit *OK*. Je lui ai concédé que ce n'était pas très moderne, mais que ça allait grandement améliorer notre qualité de vie, il a dit *oui*.

Je n'ai plus d'ambitions professionnelles, mais je suis pleine d'ambitions personnelles. Je cuisinerai des tartes aux pommes, des tartes aux fraises et des tartes au sucre avec de la pâte que j'aurai roulée moi-même. Je m'occuperai de tout le ménage et de toute la vaisselle pour qu'après, avec Louis, nous puissions tout faire sauf le ménage et la vaisselle. Je lirai *À la recherche du temps perdu* ou *Don Quichotte* ou *Anna Karénine*, ou les trois, pourquoi pas, et d'autres encore, des romans volumineux qui m'ont toujours effrayée. Et puis un jour j'aurai des enfants et je ne décevrai personne en annonçant *je prends congé, je m'en vais avoir des bébés.* Je les élèverai moi-même, pas la garderie, et même pas Louis, qui n'aura qu'à les faire sauter sur ses genoux ou à les nourrir en jouant à l'avion lorsqu'il en aura envie. Peut-être même que nous aurons un jardin et que je cultiverai des légumes et des fines herbes et des fleurs, la maison embaumera le lilas en mai, les pivoines en juin, la lavande en juillet, les glaïeuls en août et les asters en septembre. La vie redeviendra lente et douce comme à l'époque où tout était lent et doux.

Maman, bien sûr, est scandalisée. Elle laisse croire que c'est par souci pour moi et pour le féminisme, et fait chaque jour planer la menace d'une séparation qui me laisserait avec rien, mais je sais qu'en réalité, elle ne supporte pas l'idée que j'emprunte un autre chemin que le sien. Et cela ne fait qu'affiner ma volonté.

Je peux presque renifler l'odeur des tartes.

. . . .

J'ai décidé que j'allais étudier. Je ne sais pas encore quoi, mais je sais très bien ce que ce ne sera pas : l'hygiène dentaire. Ma vie sera faite d'études et de Louis, puis de Louis et d'un métier. Elle sera pleine, ma vie, tellement pleine que jamais je ne m'ennuierai, pas une minute de la journée.

Je pourrais devenir institutrice et enseigner l'écriture et le calcul à des enfants turbulents, ou étudier l'histoire de l'art et travailler dans un musée, ou encore devenir vétérinaire et soigner les beaux oiseaux que l'on s'entête à mettre en cage, ou même apprendre une langue étrangère et traduire des documents importants. Ou des romans. Je pourrais étudier la physique quantique ou le calcul intégral, la coiffure ou le secrétariat, la cuisine ou la sommellerie, l'architecture ou l'ingénierie, l'informatique ou le graphisme, le marketing ou la publicité, la couture ou la joaillerie. L'infinité des possibilités a quelque chose de paralysant, mais je ne peux plus m'offrir le luxe d'être paralysée, de rester embourbée dans la fange des rêves qui ne se sont pas réalisés.

Je ne serai ni ce que j'ai rêvé jadis ni ce que ma mère a rêvé hier. Je ne serai rien de rêvé.

Au comptoir d'accueil de l'université, je pioche au hasard trois formulaires d'inscription, les remplis, les envoie. Et j'attends. J'attends si bien et si longtemps que les réponses arrivent. L'une d'elles est positive. Me voilà donc inscrite à l'université, prête à ce que l'avenir arrive.

Il est à la fois excitant et effrayant de magasiner mes fournitures scolaires, d'acheter mes livres de cours. Excitant et effrayant de magasiner l'endroit où nous vivrons, Louis et moi. Je suis bombardée par ces promesses de nouveauté, et le nouveau est toujours bon et beau, le nouveau est ce que l'on doit irrémédiablement aimer.

Et un soir, allongée de travers dans mon lit, je me surprends à rêver de ces nouvelles études qui vont commencer.

. . . .

J'ai décidé que j'allais travailler. Je ne sais pas encore où, mais je sais très bien où ce ne sera pas : ici. J'aurai un métier qui me permettra de vivre, parce qu'il faut bien vivre, mais ma vie, la vraie, sera faite de Louis, et de notre maison, et des livres que je lirai, et des tartes que je cuisinerai, et des légumes que je planterai dans notre jardin, et des enfants, peut-être, un jour. La maison embaumera le lilas en mai, les pivoines en juin, la lavande en juillet, les glaïeuls en août et les asters en septembre.

Lorsque je rencontrerai des gens que je ne connais pas et qu'ils me demanderont *qu'est-ce que tu fais dans la vie ?*, ou des gens que je connais et qu'ils me demanderont *et puis, quoi de neuf ?*, je n'aurai rien à répondre, ou si peu. Je ne pourrai parler des tartes, des livres, des légumes, des fleurs qui embaument la maison. Ou si peu. Ce sera le prix à payer pour me couler doucement dans un emploi sans ambition ni passion. Pourtant, le prix de l'ambition et de la passion a lui aussi été élevé, n'est-ce pas ? Mais de cela on ne parle pas aux gens qui demandent *et puis, quoi de neuf ?*

J'envoie des curriculum vitæ dans les villes des alentours, partout sauf chez moi puisque je ne veux plus que ça le soit. Arrive un jour cette lettre par l'intermédiaire d'une agence à laquelle j'ai soumis ma candidature. On m'offre un emploi dans un petit bureau de poste. La ville où il est situé est charmante, juste assez loin d'ici pour que je puisse continuer d'aimer maman en ne la voyant pas trop souvent. Louis est emballé, ne nous reste plus que la maison à trouver.

Il est à la fois excitant et effrayant de magasiner l'endroit où nous vivrons, mais j'ai peur parfois que la réalité ne ressemble pas à nos rêves ou, pire encore, que nos rêves ne se ressemblent pas.

C'est ce que me laisse croire cette première maison que Louis souhaite visiter, une maison comme un terrier. Bâtie à même une colline par un petit homme qui souhaitait se retirer pour s'empiffrer, elle a de minuscules fenêtres circulaires qui ne laissent filtrer presque aucune lumière. Mais qui s'ouvrent sur un luxuriant jardin. C'est lui qui me convainc de dire *oui*. Parce que je veux faire plaisir à Louis, parce que je veux déménager au plus vite, parce que je pourrai semer, planter, récolter. Parce qu'il faut partir et laisser les rêves de l'enfance sagement pliés et rangés.

J'ai dit *oui* et nous déménageons, nous déménageons dans cette nouvelle existence qui ne sera plus la mienne ni la sienne. Cette existence sera la nôtre.

....

Il est à la fois excitant et effrayant de magasiner l'endroit où nous vivrons, j'ai peur parfois que la réalité ne ressemble pas à nos rêves ou, pire encore, que nos rêves ne se ressemblent pas.

C'est ce que me laisse croire ces premières maisons que Louis souhaite visiter, une maison comme un terrier, une autre au sommet d'un immense complexe immobilier, une autre encore qui n'est maison qu'à moitié, une semi-détachée. J'essaie de ne pas perdre courage, mais, avec maman qui rôde et croasse, ce n'est pas évident.

Nous finissons néanmoins par trouver. Une maison comme dans les rêves que je faisais enfant, une maison où fonder une famille, avec des pignons, des sapins et des balançoires. Louis n'est pas convaincu, c'est plus loin que ce que nous avions prévu, plus cher, mais il se laisse attendrir par mon enthousiasme. Il dit *oui* et nous déménageons, nous déménageons dans cette nouvelle existence qui ne sera plus la mienne ni la sienne. Cette existence sera la nôtre.

Nous habitons désormais dans cet endroit magnifique, immense, il faut passer beaucoup de temps à balayer les planchers et à tondre le gazon, mais peu importe, c'est chez nous et cela vaut bien quelques sacrifices. L'existence se faufile dans cette nouvelle brèche tel un filet d'eau dans une tranchée naissante qu'on appellera bientôt ruisseau, rivière, fleuve.

Je commence mon nouvel emploi au bureau de poste et, même si je ne peux d'abord m'y diriger que comme vers un grand échec, puisque ce n'est pas ce que j'avais voulu, pas ce que j'avais rêvé, pas ce pour quoi j'avais tant sué, tant peiné, je finis par m'y habituer, par l'aimer. Parce qu'au bureau de poste il y a Phil et Flore et la bonne odeur du papier.

Le soir, je ne parle néanmoins pas du travail, il n'y a rien à en dire, Louis ne parle pas de la maison, il n'en rêve pas, nous parlons peu et ne rêvons pas et cela me va, l'existence est paisible dans la musique qui joue doucement et les effluves de plats mijotés. Louis a parfois un

drôle de regard par la fenêtre ou sur moi, c'est la coha-
bitation qui est différente de ce que nous imaginions,
bien sûr, rien n'est jamais aussi parfait qu'en imagination et il le sait. Puis l'oublie. Puis s'en souvient.

Je ne m'en fais pas. Nous nous sommes fabriqué une
vie et j'y crois assez pour deux. Même trois.

. . . .

Il est à la fois excitant et effrayant de magasiner l'endroit où nous vivrons, j'ai peur parfois que la réalité
ne ressemble pas à nos rêves ou, pire encore, que nos
rêves ne se ressemblent pas.

Nous finissons néanmoins par trouver.

Nous avons déniché une maison parfaite pour nous
deux, une maison qui ressemble à une cabane à oiseaux,
elle est haute et étroite avec une série d'ouvertures circulaires donnant sur autant de pièces. Chacune d'elles
est peinte aux couleurs de chacune de nos humeurs,
une salle à manger orangée avec une grande table
autour de laquelle réunir les Aimés, un salon turquoise
où plonger dans des livres mystérieux, une chambre
écarlate dans laquelle la passion pourra être débridée.
Tout à l'image de nos rêves les plus colorés.

C'est un endroit extraordinaire, comme hors du temps.
Ou peut-être est-ce plutôt au milieu du temps ? Quoi
qu'il en soit, un endroit où il y a autant d'espace derrière que devant, après qu'avant. Et dans cet espace il
y a nous. Ce que nous sommes, ce que nous serons.
N'est-ce pas là le meilleur endroit où vivre quand on est
amoureux ?

Sans fracas de porcelaine

Me réveillant dans la fine lumière de l'aube, j'observe ma chambre et ma rupture et mon cœur brisé, et je ne les reconnais pas.

Je ne l'avais pas envisagée, la rupture. Mais je l'avais copieusement imaginée. Comme j'imagine ma mort, celle des autres. Les petites et grandes tragédies. Ces choses qu'on imagine seulement pour se faire peur. Ces choses qui, dans la réalité, ne sont pas censées arriver.

En imagination, ma rupture se faisait parfois dans un coup d'éclat, dans une colère et un chagrin si puissants qu'ils en étaient flamboyants, d'autres fois dans la déchéance, la fumée de cigarette, le corps amaigri, qui refuse de se dérouler, qui reste au lit. Mais ce matin, ma main attrape le torchon pour garder le comptoir propre, pèle des carottes, applique du fard d'un rose de santé sur mes joues avant de partir travailler. À pied, car l'hiver est bien installé.

Les mauvais comme les beaux rêves ne se réalisent finalement pas. Et à l'heure qu'il est, j'ai presque la folie de regretter ce cauchemar d'un noir de jais qui me ferait m'abîmer, plutôt que ce matin qui s'étale dans un camaïeu de gris. À quoi bon se tenir prêt pour le meilleur et pour le pire si la réalité se glisse bêtement entre les deux?

Louis est parti dans l'anonymat de la nuit, dans l'obscurité qui voilait l'amas de racines, mon regard, mon chagrin qui l'auraient blessé, sans doute. Il est parti, mais c'est moi qui partirai vraiment, dès que j'aurai pris quelque arrangement. Je ne pourrais supporter de demeurer dans cette maison qui n'avait été que la nôtre et que jamais, jamais je ne pourrais faire mienne sans succomber de peine.

Comme il est ridicule, douloureux, de trouver Phil et Flore penchés au-dessus des piles de papier et de devoir expliquer mes yeux rougis, cernés, mon air de condamnée malgré mes joues roses et mes carottes couchées dans un Ziploc. Flore cherche ses mots, Phil sait qu'il n'y en a aucun et par bonheur se tait. En trois coups de téléphone, Flore me déniche une maison et je songe avec un immense soulagement qu'il y a au moins quelques racines que Louis n'a pu couper, de l'amour qui m'enlace dans la petite cafétéria où je n'ai pas le cœur de manger.

Dans le jour qui décline vite, je rapporte quelques boîtes de carton et, dès le lendemain, j'entreprends cet étrange déménagement.

Mettre mes choses dans des boîtes m'avait paru un geste plein d'espoir lorsque ça avait été pour emménager avec Louis à l'aube de mes vingt ans, aujourd'hui chaque objet que j'enrubanne et empaquette raconte notre échec, longue journée sans soleil qui voit défiler cette succession de petites mises en terre.

La régularité des gestes a malgré tout quelque chose d'hypnotisant qui m'apaise, je me laisse happer par ce mouvement de mes mains qui vont et viennent dans les tiroirs, les armoires.

Puis voilà soudain Louis qui se dresse dans l'embrasure de la porte, le regard brûlant et la main tendue, les regrets et les promesses aux lèvres, *ça fonctionne encore je veux encore je t'aime encore.*

Je le dévisage longuement. Je pense à ces plantes dont j'élague quelques branches au printemps afin qu'à l'été en vienne le double et je me dis que peut-être, peut-être notre couple pourrait repousser? Mais ici le soleil ne réchauffera plus pour de longs mois et je frissonne rien que d'y penser. Un œil dans son œil, l'autre sur sa main tendue, j'hésite.

Puis je lui tends ma propre main, la gauche, celle à laquelle il vient de promettre de passer un anneau.

. . . .

La régularité des gestes a quelque chose d'hypnotisant qui m'apaise, je me laisse happer par ce mouvement de mes mains qui vont et viennent dans les tiroirs, les armoires.

Le plus difficile est sans doute de vider chacune des pièces, de me hisser d'un étage à l'autre, quelques Aimés viennent m'aider, ils me font la courte échelle de leurs mains et de leur amitié entrelacées.

Plusieurs souvenirs me fracassent, bien sûr. C'est presque drôle, parfois, ces histoires qui traversent ma mémoire et sèment un sourire qui s'éteint vite sur mes lèvres, non, lui n'est plus là pour m'écouter raconter. Lui la Pourriture, j'avais déjà oublié, lui la Friture, la Rognure, la Craquelure, l'Usure, l'Engelure, la

Déconfiture, avec les Aimés on empile les injures pour me capitonner.

La grande douleur finit par frapper lorsque vient le moment de défaire et d'empaqueter le beau casse-tête que nous avions entrepris d'assembler – au moins 10 000 morceaux. Nous avions placé ensemble tous les contours, assis par terre dans notre salon jaune, turquoise, vert forêt. Et voilà que je me retrouve avec les pièces dans un sac de plastique, incapable de mettre la main sur la boîte, et cela me semble tout à coup pire que tout, insupportable.

Du bout des pieds, des doigts, des yeux, je parcours la maison une dernière fois, elle qui n'est déjà plus la mienne, on dirait. Devenir une étrangère si tôt, si vite.

Au dernier moment, mon regard s'accroche au petit pot émaillé sous le miroir du vestibule, un petit pot où nous jetions les clés, mais aussi une infinité de babioles, un miroir de poche, des lunettes de soleil, un baume à lèvres, un peu de monnaie, un briquet. Un briquet.

Je m'en empare et le fais tourner plusieurs fois entre mes doigts. Phil revient sur ses pas, avec dans ses bras la dernière boîte. Il me regarde tendrement et me dit *allez, viens, c'est fini*, je réponds *oui*. Oui, c'est fini. La colère m'embrase et je tremble dans la flambée. Celle que Louis a allumée.

Il m'apparaît alors juste d'allumer à mon tour un brasier. Parcourant les pièces calmement, je caresse de la flamme tout ce qui pourra incendier cette maison qui ne peut tout simplement plus exister. Puisque nous n'existons plus.

Sans me retourner, mais en voyant briller le reflet des flammes dans les yeux exorbités des Aimés, je quitte notre maison et notre vie pour marcher vers celles qui ne seront que les miennes.

. . . .

Du bout des pieds, des doigts, des yeux, je parcours la maison une dernière fois, elle qui n'est déjà plus la mienne, on dirait. Devenir une étrangère si tôt, si vite.

Je dépose en partant une feuille pliée en quatre sur la table du salon. Au stylo bleu, j'y ai écrit quelques mots sur les draps que j'ai mis à sécher, sur ces livres que je laisse derrière, pour lui, sur la clé que je glisserai dans la boîte aux lettres. Sur ce nous qui, peut-être, pourra un jour trouver une autre façon de s'incarner. Sur mon amour pour lui qui, même lorsqu'il n'existera plus, existera encore.

Je quitte notre maison en même temps que notre vie, dans ma main droite, un sac avec les pièces du casse-tête, dans ma main gauche, un sac avec les souvenirs que je n'ai pas eu la force de jeter, un amas de racines, et, tout partout sur mes joues, mon chagrin.

Notre maison était dans le centre-ville, celle que Flore m'a trouvée est isolée et craque et me fait peur. Les murs de chaque pièce sont blancs, le plafond, l'épais tapis qui recouvre le sol et étouffe les pas. Même le frigo ne contient que des aliments blancs, des œufs, du lait, du cheddar, du yogourt à la vanille. Notre maison était remplie de bruits, de rires, de conversations banales et d'autres importantes, parfois. De musique. Ici aussi, il y a de la musique. J'en mets pour faire taire le silence alors que je m'installe, mais même lorsque je la choisis joyeuse, elle s'enrobe de tristesse en glissant vers mon tympan. C'est pourtant mieux que le silence, si puissant qu'il me fait parfois reculer jusqu'à ce que je sois dos au mur, pétrifiée pendant de longues minutes, puis enfin délivrée par le grincement d'une porte ou le pépiement d'un moineau. Il y a donc encore de la vie, même si je n'y suis plus.

Les Aimés s'activent autour de moi, marchent du talon, rangent la vaisselle en entrechoquant les couverts, jacassent, essaient de couvrir de leur vacarme ma rage qui gonfle, ma rage qui les empêchera peut-être de dormir une fois la nuit tombée. Je me perche sur un tabouret et les épie de mon regard belliqueux.

À partir de maintenant, c'est décidé, je détesterai tout. Je détesterai le soleil, la pluie, le jaune, les betteraves. Je détesterai sortir, être seule, m'asseoir, rester debout. Je détesterai les silhouettes des amis qui se dessinent derrière le rideau, les mots de réconfort, les chocolats enrubannés, la gentillesse. Je détesterai par-dessus tout les courbes dans les sentiers, l'angle des murs, l'arrière des arbres dans la forêt, autant de territoires à imaginer, à remplir d'histoires qui s'entêtent à ne pas se concrétiser.

L'une des assiettes de porcelaine fait un détour imprévu par mes mains. Je l'observe, blanche et belle et sans faille, comme mon histoire d'amour d'il y a à peine trois jours et je dis *merde*, tout bas. *Merde de merde, il y a trois jours j'allais me marier.* Les Aimés me regardent, se regardent. *Pas me marier pour vrai, mais j'allais me marier quand même, dans ma tête, merde. J'en étais là.* Les Aimés me fixent en silence, ils ne comprennent rien et je les déteste. Je les DÉTESTE et en le pensant je lance l'assiette par terre puis j'en prends une autre, je la lance en criant *JE LE DÉTESTE*. Toutes les assiettes de porcelaine trouvent maintenant leur chemin vers mes mains, les bols les soucoupes les tasses, chaque fracas sur le plancher me soulage un peu plus. Moi aussi, voyez, moi aussi je peux briser des choses blanches et belles et sans faille! La porcelaine éclate et je hurle de plus en plus fort, j'ai l'air d'une folle. Je *veux* avoir l'air d'une folle. Je veux qu'ils s'enfuient en courant, les Aimés, qu'ils craignent pour eux et pour moi. Lorsqu'il ne reste plus de vaisselle à briser, je ramasse les petits éclats de porcelaine et les lance à pleines poignées dans les vitres, je tourbillonne dans mon chagrin et m'y désagrège en une tempête de sable qui blesse leurs yeux et griffe leur peau, alors ils s'en vont enfin, les Aimés, ils s'enfuient dans la nuit de janvier.

Une fois calmée, je m'avance sur le balcon et je disperse lentement mes derniers grains de sable dans l'air froid de la nuit, je ne suis plus la perle de personne.

· · · · · · · ·

Les Aimés s'activent autour de moi, marchent du talon, rangent la vaisselle en entrechoquant les couverts, jacassent, essaient de couvrir de leur vacarme ma peine qui enfle, ma peine qui ne les empêchera évidemment pas de dormir une fois la nuit tombée. L'une des assiettes de porcelaine fait un détour imprévu par mes mains. Je l'observe, blanche et belle malgré les fines craquelures, comme mon histoire d'amour d'il y a à peine trois jours et je dis *merde*, tout bas. L'envie de la fracasser sur le sol me traverse, mais quelle différence?

Quel soulagement? Je soupire doucement, pose l'assiette sur la pile.

Je voudrais porter ma peine comme une couronne d'épines, une croix, que tout le monde s'incline devant elle, devant moi. Mais ma peine à moi se pare de mots. Des mots simples, clairs, que j'égrène calmement. Des mots si limpides que les Aimés les boivent comme de l'eau de source, ne goûtent pas leur goût amer, leur goût d'eau de mer. Je les regarde de mes yeux secs, les Aimés, et vois bien qu'ils ne voient pas. Il faudrait pleurer, ou casser la porcelaine. Mais je n'y arrive pas. Alors ils s'en vont, les Aimés, et me laissent seule dans la nuit de janvier en pensant, en me disant *ça va aller*. Je n'ai même pas la force d'un sarcasme.

Lorsque vient l'heure d'aller dormir, je lis je lis je lis jusqu'à tomber d'épuisement, me remplis encore de mots jusqu'à ras bord. Au fond du cratère que creuse la solitude, j'empile toujours plus de mots sur lesquels me hisser pour rester à la surface malgré mon chagrin qui me tire telles deux mains aux chevilles, qui m'effraie pour les années à venir. Mon Dieu, et s'il y avait encore pire?

Le matin revient comme une insulte, bien sûr, la vie continue, mais était-ce vraiment nécessaire de me réveiller au début de la journée, quand il reste tant d'heures à traverser? Les Aimés viennent prendre le café, apportent des croissants, j'essaie tant bien que mal de cultiver ma gentillesse, mon cynisme, ces choses qui font que le monde tient en place malgré tout et ne me laisse pas en miettes sur le plancher comme une pauvre assiette de porcelaine.

J'ai tout perdu. Les Aimés hochent docilement la tête, rétorquent doucement *tu n'as pas tout perdu, tu l'as perdu lui.* Mais je répète *j'ai tout perdu. En plus de le perdre lui, j'ai perdu ma certitude.*

Ce jour-là et les suivants, les Aimés me tendent des paroles de réconfort que je saisis parfois comme autant de bouées, d'autres fois je n'ai envie que de les ignorer et de couler, de m'installer au fond et d'y rester. Envie de laisser mourir les plantes. Envie de laisser mes yeux se cerner et mes joues se creuser pour afficher les stigmates de mon chagrin. Envie de couper mes cheveux à grands coups méchants de ciseaux. Envie de me coucher pour arrêter d'y penser. Envie de rester éveillée pour y penser. Envie de marcher pliée en deux en laissant mes mains s'écorcher sur les cailloux des sentiers.

Mais je marche droite et ils me regardent aller avec – oui, c'est bien ça –, avec admiration, les Aimés, comme c'est drôle, comme ça m'écorche tels les cailloux sur lesquels mes mains ne traînent pas.

Elle redevient tranquillement lisse, ma vie, et je refuse, et je ne veux pas. Un jour de grand soleil qui fait briller la plaine enneigée, je décide d'y mettre la hache. Je ne serai pas cette fille que l'on oublie et qui, elle aussi, finit par oublier. Ce ne sera pas moi. Personne ne m'oubliera. Louis ne m'oubliera surtout pas.

Armée d'une carte de crédit, j'écume les boutiques. Je n'achète que des vêtements rouges, soyeux et coûteux. Puis, enrubannée de toute ma flamboyance, je me rends dans chacun des commerces de la ville, la poissonnerie, le coiffeur, la piscine, la bibliothèque, le bar, à tous je raconte que, dans quelques jours, je m'envolerai pour un pays lointain, le plus exotique auquel j'ai été capable de penser, un pays où il ne faut porter que du rouge, parler très fort et vivre des émotions très intenses. Dans une ville comme celle-ci, avec des amis comme les nôtres, je sais que la nouvelle de mon départ parviendra rapidement à Louis. Qu'il sera incrédule, moi qui ai toujours été si attachée au territoire, à ma meute. Qu'il n'y croira pas, n'y verra qu'une provocation, qu'une boutade. Alors il faudra absolument y aller, il faudra absolument le faire.

Après quelques jours, je boucle mes valises, mes valises pleines de rouge. Malgré le territoire, malgré la meute. De toute façon, cette vie qui est désormais la mienne, je n'en veux pas, je n'en veux plus du tout.

. . . .

Elle redevient tranquillement lisse, ma vie, et je m'y laisse flotter comme on se laisse ballotter dans l'eau en étoile, les yeux en l'air et les oreilles immergées. Je suis cette fille que l'on oublie et qui, elle aussi, finit par oublier. Je suis comme toutes les filles. Les heures et les jours lentement s'égrènent, les semaines. Mes pas cherchent à creuser des sentiers dans le tapis, à recréer des habitudes. Je me mets à fumer pour tromper l'ennui de ma main droite, qui n'a plus la sienne à tenir. Je fume le plus souvent debout, appuyée dans l'embrasure de la porte ouverte malgré le froid qui pince. Les jours passent et je ne fais rien d'autre, errer, fumer, errer, fumer, petit à petit je commence à me décomposer.

Je n'en prends conscience que le jour où sur le blanc de la neige tranche le noir d'un vautour. Qui m'observe. Dans ses yeux, la convoitise, s'il avait des babines, je jure qu'il se les pourlécherait. J'imagine que la peau qui se détache délicatement de mes membres décharnés a quelque chose d'appétissant. La question m'indiffère, et le vautour, et ma peau qui se détache.

Pourtant, la routine du vautour s'installe comme celles de mes pas sur le tapis et de mes cigarettes fumées appuyée dans l'embrasure de la porte ouverte malgré le froid qui pince. Ces nouvelles habitudes créent un écrin, inconfortable peut-être, mais un écrin tout de même. L'attente s'installe, celle où le vautour se posera nonchalamment sur le petit piquet de bois de la clôture qui perce la bordée de neige, celle où il s'avancera ensuite de quelques pas en se dandinant vers le porche.

Mais quelle tristesse, le plus souvent, l'idée même de cette nouvelle routine, de ce nouvel écrin ! Quelle tristesse que ce silence blanc, celui de ma maison, celui de l'hiver !

Toujours envie de parler à Louis. Lui dire à quoi je pense, juste là. Lui décrire le roman que j'achève. Lui narrer la visite de ma mère, qu'il est le seul à connaître assez pour que ça vaille la peine de raconter. Tant de mots que j'imagine jaillissant à la manière du pus suintant d'une plaie. Tant de mots et plus aucun pour lui. Je me demande parfois s'il se trouve mieux dans le silence.

Ma main, le soir, glisse lentement vers cette vaste étendue de draps vide comme une toundra puis revient se fermer en poing contre ma poitrine. Il ne faut pas penser à ce corps habitué au mien, à mes doigts sur son torse, non, il ne faut pas, et puis pourquoi pas un peu, un peu plus, encore plus. Valse-hésitation, comme lorsque les larmes gonflent mes paupières, cette envie de les retenir, de m'étourdir, de m'étourdir, de m'étourdir, mais parfois abdiquer et pleurer, pleurer, pleurer.

Je me demande si le vautour remarque la différence entre mes yeux rouges et mes yeux secs, le matin. Je me demande si le rouge attise sa faim.

Je crois que c'est lorsqu'il croise mon regard qu'il se décide enfin, le vautour. À s'approcher. Et que je décide quant à moi de me laisser glisser sur le sol, les jambes, les bras ouverts. Enfin, enfin devenir une martyre et leur montrer, aux Aimés, le carnage qu'autrement ils ne voient pas.

Bien sûr, il se jette sur moi, le vautour, et j'entreprends de mourir, déchiquetée par son bec affamé. C'est presque bon, pouvoir souffrir absolument. Je dois bien hurler, quand même, et ça doit l'agacer, le vautour, parce qu'il me dévore la langue. De la suite, je garde peu de souvenirs. C'est que je suis morte.

Ils me trouvent le lendemain, les Aimés, et hurlent. C'est qu'ils ont encore leur langue, eux.

. . . .

Je crois que c'est lorsqu'il croise mon regard qu'il se décide enfin, le vautour. À s'approcher. Et que je décide quant à moi de m'accroupir et d'ouvrir ma main tendue. Dans ma paume, un morceau de chair crue. Pas la mienne.

À petits pas prudents, le vautour trottine jusqu'à moi en ne me lâchant pas des yeux, je reste immobile. Je patiente jusqu'à ce que mes cuisses élancent, et puis soudain ça y est, son bec a happé le morceau de viande et dans son œil se disputent la victoire et la connivence. Il ne sait pas encore que j'ai décidé de l'apprivoiser. Mon Petit Vau. Pourtant, il revient, le lendemain, et guette immédiatement ma main. À cette heure, elle me sert à fumer et il est déçu, mais il patiente, lui aussi.

Le Petit Vau trottine chaque jour jusqu'à ma main tendue, bientôt il se perche à mes côtés sur le porche même lorsque je ne tends rien et fume. Les Aimés semblent carrément dégoûtés, ceux à qui j'avais parlé de lui s'attendaient manifestement à quatre pattes, des taches noires et de grands yeux doux. J'adore quant à moi l'idée de m'être entichée d'un charognard.

Maintenant, le soir, il sautille jusque dans mon lit, je lui fais la lecture à voix haute, Balzac, Céline, Aquin, des bouquins qui nous endorment rapidement. Des contes de fées, parfois, impossible de toujours bouder l'incommensurable plaisir que j'ai à dire *il était une fois*. Ma voix dans la pièce blanche qui trouve ses petits yeux noirs suffit à briser ma solitude, me permet d'aller au bout de la nuit autrement que les yeux ouverts à contempler le désastre.

Arrive ce matin où il faut tourner la page du calendrier. Un mois, déjà? Je considère les petites cases blanches qui me séparent de cette journée où j'ai basculé en bas du monde ainsi qu'on le faisait quand la terre était plate, c'est comme si c'était arrivé hier, c'est comme si c'était arrivé il y a longtemps.

Le Petit Vau me tire de ma rêverie en me picorant le mollet, il n'a rien à faire du temps qui passe et veut déjeuner, j'émiette distraitement du bœuf haché dans sa gamelle. Je reporte vite mon regard sur la page du calendrier, celle du mois qui débute, je feuillette les pages suivantes, bientôt reviendra le printemps. Il m'apparaît alors qu'avec le froid s'en ira probablement le Petit Vau et que la solitude m'accablera de nouveau.

Je pose les yeux sur lui, il lève les siens vers moi, il me fait confiance, c'est maintenant qu'il faut agir. J'affronte le froid cinglant pour me rendre à l'animalerie, *il me faut votre plus grande cage à oiseau. Pour un perroquet? Non, pour un oiseau qui est si laid et que j'aime tant qu'il en est magnifique, que je dois l'encager avant qu'il ait la mauvaise idée de s'envoler, de s'en aller.* L'employé me désigne une cage immense, probablement destinée à de gros cacatoès multicolores qui disent *bonjour, biscuit, wow*, mon vautour à moi est noir et ne dit rien. Je repars avec la cage dans les bras. En chemin, j'achète aussi une plante verte.

De retour à la maison, j'installe la cage sur une petite table, près de la fenêtre, près de la nouvelle plante verte, seule tache de couleur dans mon environnement tout blanc. Je me convaincs que c'est beau, que c'est bon, que le Petit Vau sera bien. Lui ne se doute encore de rien, il explore la maison comme il en a pris l'habitude. Des habitudes à défaire, déjà.

Je marche vers le réfrigérateur, le Petit Vau m'observe, j'ouvre la porte, le Petit Vau me guette, je prends un nouveau paquet de bœuf haché, le Petit Vau s'approche, je me dirige vers la cage, le Petit Vau me suit, je déballe la viande et la dépose dans le fond de la cage, le Petit Vau s'y engouffre, je referme la porte, le Petit Vau lève les yeux lorsque ça fait clic, un spaghetti de viande au bord du bec. Il ne comprend pas encore que je viens de le priver de sa liberté. Alors qu'il savoure son repas, je me demande tristement si cela en vaut la peine.

· · · · · · · ·

Le Petit Vau me tire de ma rêverie en me picorant le mollet, il n'a rien à faire du temps qui passe et veut déjeuner, j'émiette distraitement du bœuf haché dans sa gamelle. Je reporte vite mon regard sur la page du calendrier, celle du mois qui débute, je feuillette les pages suivantes, dans pas si longtemps reviendra le printemps. Il m'apparaît alors qu'avec le froid s'en ira probablement le Petit Vau et que la solitude m'accablera de nouveau.

C'est terrible, oui c'est terrible, pendant un instant j'ai envie de me planter au milieu du salon, d'écarter les bras et d'en faire un opéra. C'est terrible, s'attacher, se déchirer. *C'est terriiiible*, en tenant la note longtemps, forte, aiguë. Et parce qu'avec un peu de bonne volonté le tragique peut se muer en comique, j'appelle Flore, l'invite avec Phil à célébrer une drôle de cérémonie, lui demande d'apporter une bouteille d'alcool et quelques disques. J'ai envie de me marier soûle de gin-tonics avec de la bossa-nova plein les oreilles.

Car c'est une cérémonie de mariage que je viens d'inventer. Je vais épouser le Petit Vau et si un jour il part acheter du lait au dépanneur et ne revient pas, ce sera tant pis, ce sera ça. Si un jour *ça ne fonctionne plus je ne veux plus je ne t'aime plus*, ce sera tant pis, ce sera ça. Je vais l'aimer jusqu'à ce que la mort nous sépare, et la mort a tant de visages que nous pourrons promettre sans mentir. Je vais embrasser ce délire de toute ma force, un baiser avec la langue et les mains qui tirent les cheveux, et tant pis si demain c'est à recommencer, le bonheur et l'illusion du bonheur, demain c'est loin, je n'ai pas encore fini d'imaginer aujourd'hui.

Il y a des journées comme celle-ci qui offrent la grâce d'être suffisantes et d'occuper la totalité de mon esprit.

Flore m'aide à détacher l'un des rideaux blancs du salon, dans ma chambre nous nous appliquons à m'en faire un voile, dans la cuisine Phil tranche les limes. Le Petit Vau, lui, ne fait rien.

Flore est perplexe, elle hésite entre se réjouir ou s'inquiéter de cette étrange joie qui m'anime, ma requête de gin-tonics et de bossa-nova la rassure un peu, mais elle ne peut s'empêcher de me poser des questions.

— Tu organises cette mascarade pour oublier Louis ?

— Ce n'est pas poli de parler d'un ancien amoureux le jour où on en épouse un nouveau.

Elle insiste.

— Tu penses vraiment que c'était le bon, que c'était ça ?

— Bien sûr.

— Tu ne crois pas que ça aurait pu être un autre que lui ?

— Bien sûr.

— …

— C'était lui parce que j'avais imaginé que c'était lui, parce que j'avais décidé d'imaginer que c'était lui.

Flore cligne des yeux.

— Si Louis revenait, qu'est-ce que tu ferais?

— Je ne pourrais pas imaginer la même histoire deux fois.

— Avec un autre, alors. Une belle histoire neuve sur du papier vierge.

— Ma tête est blanche comme un syndrome de la page blanche. Rien ne va s'imaginer ici, sinon un mariage avec le Petit Vau. C'est farfelu, c'est réjouissant, c'est suffisant.

Je le dis pour m'en convaincre, mais je sais bien que les histoires neuves se bousculent déjà dans mon esprit, n'attendent que des corps dans lesquels s'incarner. Je peine toutefois à les imaginer dans la durée. Avec Louis j'imaginais chaque détour de chaque époque de nos vies, maintenant j'ai, coincée dans la gorge, la peur tenace que mes rêves soient des chimères dont je devrais apprendre à me passer, à tout le moins leur mettre la bride au cou pour les empêcher de galoper trop fort trop loin.

Deux gin-tonics, trois, quatre, et je reviens à l'état de grâce du début de cette journée, ne penser à rien d'autre qu'à ce qui s'accomplit sur-le-champ, Flore qui m'escorte jusqu'au Petit Vau, perché sur la table de la salle à manger, et Phil qui fait la lecture d'un poème d'Éluard. *Un oiseau s'envole / Il rejette les nues comme un voile inutile / Il n'a jamais craint la lumière / Enfermé dans son vol / Il n'a jamais eu d'ombre / Coquilles des moissons brisées par le soleil / Toutes les feuilles dans les bois disent oui / Elles ne savent dire que oui / Toute question, toute réponse / Et la rosée coule au fond de ce oui / Un homme aux yeux légers*

*décrit le ciel d'amour / Il en rassemble les merveilles /
Comme des feuilles dans un bois / Comme des oiseaux
dans leurs ailes / Et des hommes dans le sommeil.*

Quelle magnifique façon d'épouser un volatile, ce
poème. Je crie *oui*, Flore applaudit, Phil se déhanche
sur la bossa-nova qui retentit dans la pièce, fort. Nous
tournoyons longtemps, tard, nous buvons beaucoup,
trop. Huit gin-tonics, neuf, dix, et je m'assieds par terre
sur le tapis, pensive, pendant que mon imagination,
elle, se redresse, trotte, galope.

Et si, au contraire, mes rêves incarnaient ce qu'il y a de
plus vrai en moi, puisaient à même la couche la plus
profonde de mon âme pour en tirer quelque chose
comme de la pureté? Je ne sais pas. Je ne sais plus
rien, les certitudes s'en sont allées avec Louis, ainsi
qu'elles l'avaient fait jadis avec le père Noël. Le temps
passe et le monde perd sa magie par lambeaux.

Qui pourra l'inventer, cette histoire d'amour qui ne
finit pas, si ce n'est plus moi?

Les grandes crues

C'est par l'affiche que le charme du cirque opère sur moi en premier. À l'avant-plan, on y voit Brigitte, « le plus gros hippopotame du monde », la gueule grande ouverte. Au centre, un cracheur de feu dont la flamme dessine une courbe qui vient lécher les autres personnages déployés en demi-cercle dans la partie supérieure du cadre. Les couleurs sont vives, et le tout recèle un exotisme et une magie qui me fascinent. J'ai dû serrer la main de maman bien fort en la contemplant, peut-être ai-je même supplié d'y aller. Je ne me rappelle plus rien maintenant que je tiens un billet dans ma main. Maman vient de me l'offrir. J'ai onze ans et mes rêves ne se réalisent presque jamais. J'en ai tant.

J'adore tout du spectacle. Les jongleurs, l'écuyère, les clowns, les trapézistes, l'homme-canon, la contorsionniste, le dompteur de lion, la femme à barbe, l'homme fort, les siamoises, le charmeur de serpent, la dresseuse de caniches, le lanceur de couteaux, le magicien.

La funambule.

La funambule toute de blanc vêtue qui entre sur scène comme une ballerine avec ses pointes, ses collants, son maillot et son tutu. La funambule avec son ombrelle de dentelle qu'elle tient à bout de bras pour garder l'équilibre.

Dès l'instant où elle pose le pied sur l'extrémité du fil suspendu haut, très haut sous le chapiteau, je pense que c'est la chose la plus incroyable qui se puisse faire. Et quand, quelques minutes et bien des exclamations étouffées plus tard, elle arrive à l'autre extrémité du fil et salue la foule, triomphante, portée jusqu'au sol par une vague déferlante d'applaudissements, je reste ébahie devant sa prouesse, la plus merveilleuse qui soit. Se percher sur un fil tel un bel oiseau blanc.

En sortant du chapiteau, plutôt que de réclamer un tour de grande roue ou une barbe à papa, je supplie maman de m'emmener chez la diseuse de bonne aventure. La cartomancienne ne bronche pas devant mon jeune âge, pas plus qu'à la suite de ma question, posée avec tout mon sérieux d'enfant. *Est-ce que je deviendrai funambule ?* Ma mère pouffe de rire, mais l'autre entreprend de mélanger solennellement son jeu de tarot. Ses dizaines de bracelets dorés tintinnabulent à chacun de ses gestes, après quelques instants elle déploie le jeu en éventail, face contre table, et me demande de piger trois cartes. Je m'exécute, elle les prend et les retourne, les aligne devant elle, les nomme. *Le Bateleur, à l'endroit. Le Pape, à l'envers. La Roue de fortune, à l'envers.* Elle se lance dans des explications dont je ne comprends rien sinon la fin :

— Tu ne seras pas funambule.

Avant que mes yeux se remplissent de larmes, elle précise :

— Tu seras fildefériste.

Comme je ne sais pas ce que ça signifie, je serre les dents et je pense *c'est ce qu'on va voir*. La diseuse de bonne aventure n'ajoute rien, n'essaie pas d'atténuer l'effet de ses paroles en les enrobant de détails, tend la main pour réclamer son dû.

De retour à la maison, j'ouvre le dictionnaire et je découvre que, contrairement au funambule qui se perche haut dans les airs, le fildefériste avance sur un fil d'une hauteur maximale de trois mètres au-dessus du sol. Cela me semble ridicule, je serai funambule.

Dans les jours qui suivent, les semaines, je m'endors chaque soir avec ce même rêve derrière les paupières. Je le tourne et le retourne, mais il est si étrange, si inconnu, que je ne sais même pas comment l'imaginer. Et alors que partout autour de moi flamboie l'été, mon beau rêve est oublié. Je m'absorbe dans mes jeux d'enfants, saute vite et bien à la corde à danser, à l'élastique et, même si parfois, lorsque mon pied l'écrase pour accomplir une figure difficile, je songe à la gracieuse funambule en tutu et à son fil tendu tout en haut du chapiteau, d'autres rêves déboulent en moi et emportent les précédents comme une crue.

Autour de moi flamboie l'été, mais en moi bourgeonnent les possibles, ma tête déborde telle une rivière au printemps.

. . . .

Dans les jours qui suivent, les semaines, je m'endors chaque soir avec ce même rêve derrière les paupières. Je le tourne et le retourne, mais il est si étrange, si inconnu, que j'entreprends de lire tout ce qui s'est écrit sur le funambulisme. Je tapisse les murs de ma chambre de photos en noir et blanc de Maria Spelterini, la plus brillante étoile de mon nouveau firmament, et je marche sans cesse sur la pointe des pieds, sur une ligne invisible. Alors que partout autour de moi flamboie l'été, mon beau rêve se gonfle comme une voile et prend la place que j'accordais auparavant aux cabanes dans les arbres et aux batailles de ballounes d'eau.

J'entends souvent les adultes chuchoter de cette façon qu'ont les adultes de chuchoter en croyant que les enfants n'entendent rien alors que nous entendons tout, et nous savons que ce sont nécessairement des propos choquants que l'on chuchote alors on se choque. Et je suis choquée noire lorsque je les entends chuchoter que c'est une tocade qui passera bien vite, qui s'envolera avec la fin de l'été et les oiseaux qui migrent au sud.

À mon anniversaire, maman a tout de même la gentillesse de m'offrir une ombrelle de dentelle. Je la traîne partout, la déploie entre le soleil et moi, elle m'aide à garder mon équilibre sur les lignes de craie qui quadrillent désormais notre rue. Et puis c'est bel et bien l'automne et le retour à l'école. Les oiseaux s'envolent, mais mon rêve reste.

Dans ma classe, toutes les filles veulent devenir chanteuses, actrices ou vétérinaires. Quand vient mon tour de dire l'avenir que je m'imagine, le professeur hausse un sourcil, comme les autres adultes il trouve mon ambition farfelue. Heureusement, je suis têtue.

Bientôt, les lignes de craie sont arrosées par les pluies d'octobre et s'effacent, je passe de longues heures le front appuyé sur la vitre froide à rêver de corde raide et de tutu, mais aussi de toutes ces autres choses merveilleuses dont sera assurément faite ma vie de grande personne. Mon chien de rêve, qui ne sera ni trop gros ni trop petit, avec un pelage noir et brillant, et qui ne jappera que lorsqu'il me protégera. Ma maison de rêve, une grande maison avec des pignons, des sapins et des balançoires, pleine de chambres pour plein d'enfants et plein d'amis avec qui je me coucherai à pas d'heure. Mon amoureux de rêve, qui lancera souvent des éclats de rire comme de pleines poignées de confettis et avec qui chaque jour sera une fête. À ses côtés, je pourrai imaginer à voix haute, et lui imaginera à voix haute, et parfois nous imaginerons d'une même voix, et, presque tout le temps, souvent, ces imaginations se réaliseront.

C'est par un de ces jours de songes que j'aperçois une première neige recouvrir le sol. Je décide alors de passer aux choses sérieuses, de suspendre une corde entre deux arbres derrière la maison. Avec la neige, ce sera impossible de me blesser, presque. J'attends quelques jours que le ciel envoie d'autres salves de flocons duveteux et, lorsque la neige me semble assez épaisse et collante pour construire un fort, je juge que le moment est venu.

Pour commencer, je ne suspends le fil qu'à un mètre du sol. Malgré tout, malgré la neige, malgré la foi, chaque chute est douloureuse. Je monte et tombe, monte et tombe, monte et tombe tout au long de l'hiver. À force de tentatives, je réussis à faire quelques pas sur le fil tendu, mais jamais à le traverser.

L'arrivée du printemps et des hirondelles qui se perchent sur les fils électriques attise mon impatience, c'est moi qui devrais être belle et gracieuse et perchée sur un fil. Il m'apparaît alors que toutes ces semaines, tous ces mois d'entraînement ont été réalisés à la manière d'une vulgaire fildefériste, moi qui serai funambule ou ne serai pas. Un samedi matin, je contourne les flaques de la cour mouillée et ensoleillée pour aller cueillir la longue échelle qui repose derrière le cabanon, je réussis de peine et de misère à la traîner, à l'appuyer sur un mur de la maison. Sous l'œil attentif des moineaux, des tourterelles, des corneilles, des arrogantes hirondelles, j'escalade l'échelle jusqu'au toit. Arrivée au sommet, je prends un instant pour admirer le paysage, c'est si beau, c'est à cette hauteur que je veux exister. Après quelques minutes de contemplation, j'entreprends de marcher sur le faîte du toit.

Peut-être est-ce la faute de mes bottes de pluie, si peu adaptées aux pas gracieux d'une funambule, la faute du toit encore mouillé malgré le soleil qui brille, la faute du soleil qui brille, la faute des hirondelles qui chantent, peut-être n'est-ce la faute que de mon audace, toujours est-il que je tombe, que je dégringole, que je me fracasse sur le sol. Je me casse une jambe, un bras, le nez. Et je décide de ne plus jamais remonter.

. . . .

Toujours est-il que je tombe, que je dégringole, que je me fracasse sur le sol. Je me casse une jambe, un bras, le nez. Je passe tout le printemps plâtrée, à peine capable de marcher, d'écrire, de respirer, mais pas de rêver. Je revisite chaque jour les hauteurs de mon toit, la vue magnifique sur les environs, le mélange de puissance et de fragilité que cela m'avait inspiré. Et, dès que l'été s'installe et qu'on me libère des plâtres, je n'ai qu'une idée : recommencer.

C'est quand ma mère me surprend, échelle à la main, qu'elle décide de s'en mêler. Elle commence par transformer l'échelle en bois de chauffage à grands coups de hache exaspérés, mais elle sait que ce ne sera pas assez : pour mes treize ans, elle m'offre une inscription à l'école de cirque.

J'entame alors avec enthousiasme un horaire semblable à celui de l'école, quittant le soleil estival pour m'exercer sous les néons sans jamais rechigner. Ma joie est sans limites, ainsi que mon application. Parmi les élèves tous plus âgés que moi, je détonne par mon idée fixe : devenir funambule. Reste que, comme tout le monde, je dois tâter de la jonglerie, du trapèze, de l'unicycle, de la gymnastique. Mais c'est vers le fil de fer que je me précipite inlassablement, buvant les paroles de Rebecca, la funambule. Bien vite, les autres élèves prennent le parti de me céder le fil et je peux y consacrer l'essentiel de mes journées.

Rebecca est patiente et douce, et ma détermination ne souffre aucun relâchement. Mes pieds épousent maintenant le fil raide et mes orteils forment un petit étau de chair et de corne qui l'enserre avec de plus en plus d'assurance. Chacun des jours de la dernière semaine, je demande à Rebecca de monter le fil d'une dizaine de centimètres. À la fin de chaque journée, j'arrive à y marcher sans peine.

Puis arrive la dernière journée, celle où Rebecca et moi montons le fil à 3 mètres 10 sous les regards discrets des autres, qui connaissent bien l'enjeu. J'essaie de calmer ma respiration saccadée, mon cœur qui palpite comme un petit moineau nerveux que l'on aurait réussi à prendre dans ses mains. La première fois, je tremble tant que je n'arrive même pas à faire un pas avant de glisser et de plonger dans le matelas bleu qui amortit nos chutes. La deuxième fois, pas davantage, la troisième non plus. La quatrième, cinquième, sixième, septième, huitième, neuvième, dixième, onzième, douzième, treizième, c'est l'échec.

Et puis arrive cette soixante-quatrième fois où je répète les mêmes gestes, infatigable, où mes bras se tendent, où mes pieds se pointent et où j'avance. J'avance. Personne ne me regarde, Rebecca a depuis longtemps détourné les yeux, lasse d'encourager mes vaines tentatives. J'avance, doucement, sans penser. J'avance, je ne pense pas, je traverse, je ne pense pas, j'arrive, je ne pense pas, je réussis.

Je réussis.

Des cris fusent, des applaudissements, c'est Tim, l'instructeur de jonglerie. Lui m'a vue. Rebecca lève les yeux et me voit à son tour, pétrifiée à l'extrémité du fil où je n'aboutis jamais, et elle sourit, et je souris, et tout le monde applaudit, et c'est bien sûr le plus beau jour de ma vie.

. . . .

La quatrième, cinquième, sixième, septième, huitième, neuvième, dixième, onzième, douzième, treizième, c'est l'échec. La vingt-septième, la trente-quatrième, la quarante-neuvième, la cinquante-deuxième, rien. La soixante-quatrième non plus.

Furieuse, je demande à Rebecca d'ajuster le fil avec moi. À trois mètres pile, à peine dix petits centimètres de moins. Rebecca se plie à mon caprice, fait de louables efforts pour cacher son exaspération. Une fois le fil descendu, je répète les mêmes gestes, infatigable, mes bras se tendent, mes pieds se pointent et j'avance. J'avance. J'avance, doucement, sans penser. J'avance, je ne pense pas, je traverse, je ne pense pas, j'arrive, je ne pense pas, je réussis.

Je réussis. Du premier coup.

Je recommence, réussis à nouveau. Je recommence encore, réussis encore.

Toujours enragée, j'exige que nous remettions le fil à 3 mètres 10. Et, une fois grimpée, il ne me faut que deux enjambées pour tomber. Cet absurde ballet se répète toute la journée, jusqu'à ce que dehors le soleil décline et que sonne l'heure du départ, l'heure des au revoir puisque c'est la dernière journée. Rebecca me caresse la tête lorsque je descends et m'offre le plus bel encouragement qui soit, *c'est mieux ainsi, puisque j'aurai la chance de t'enseigner à nouveau l'année prochaine.* Chère Rebecca. Mais à treize ans, la gentillesse a peu de prise sur une déception aussi abyssale que la mienne.

J'ai le cœur lourd alors que je marche lentement vers la maison, les pieds endoloris. J'entre sans dire un mot, maman pose son regard sur moi et je le sens qui m'accompagne jusqu'au seuil de ma chambre, mais elle se tait elle aussi. Et alors que je refoule mes larmes, que je me dis que ce ne pourrait être pire, qu'avoir treize ans et des rêves qui échouent dans un gros matelas bleu est d'une douleur insupportable, je croise mon reflet dans le miroir. Et je constate avec l'effroi d'une première fois mon incommensurable banalité. Seul le funambulisme aurait pu m'en sauver. Ce soir-là, je m'allonge avec sur la poitrine le poids de deux mains de géant qui me clouent au lit, j'étouffe un instant avant de m'endormir d'un sommeil de plomb.

Les jours passent et j'oublie le camp de cirque, j'oublie ma belle ombrelle de dentelle et les ambitions que je déployais avec elle. Je regagne l'école sans regret et je renoue avec ces filles qui se ressemblent toutes, auxquelles je ressemble, et mes songes maintenant en sont de célébrité et de vêtements griffés. Comme avant, les filles rêvent d'être chanteuses, actrices ou vétérinaires et, par osmose, c'est ce dont je rêve aussi, je me dissous dans l'air du temps pour ne plus être perçue, pour ne plus être déçue. Parce que la vie est banale. L'est et le sera.

. . . .

Et alors que je refoule mes larmes, que je me dis que ce ne pourrait être pire, qu'avoir treize ans et des rêves qui échouent dans un gros matelas bleu est d'une douleur insupportable, je croise mon reflet dans le miroir. Et je constate avec l'effroi d'une première fois mon incommensurable banalité. Ce soir-là, je m'allonge avec sur la poitrine le poids de deux mains de géant qui me clouent au lit. Je me débats des heures durant, il n'est pas question que j'abdique et m'endorme. Je me débats jusqu'à ce que le soleil rosisse le ciel et que la pression cède comme une digue. Je reviens me poster devant le miroir et le regard que je me jette me transfigure. Mon reflet, malgré les cernes et les cheveux ébouriffés, me sourit. Me pointe l'ombrelle de dentelle abandonnée sur le plancher. Nous échangeons une poignée de vainqueurs. Parce que la vie ne peut pas être banale. Ne l'est ni ne le sera.

Je file le long de l'année scolaire comme sur une vague qui me porte jusqu'à l'été suivant, jusqu'à un autre camp de cirque, puis réescalade la vague pour une année de plus. Je traverse ainsi l'adolescence, portée par mon rêve comme par une réputation légèrement marginale qui me ravit, *la fille de cirque*. Chaque été, je tente de nouvelles tactiques pour briser le sort que la diseuse de bonne aventure m'a jeté, je n'en doute plus.

L'été de mes quatorze ans, je demande à ce qu'on me bande les yeux pour changer la hauteur du fil à mon insu, pour mes quinze ans, j'exige qu'on le hisse tout en haut du chapiteau, à seize ans, je revêts systématiquement un maillot et un tutu blancs avant les entraînements, à dix-sept ans, je flirte plutôt avec les millimètres pour tenter de tromper mon corps et la malédiction. Chaque été, chaque fois, dès que le fil est suspendu à plus de trois mètres, c'est la dégringolade.

C'est à l'été de mes dix-huit ans qu'apparaît Louis. Avec ses bras assez vastes pour étreindre le continent et son sourire qui glisse parfois sur son visage telle une éclaircie, il enseigne la jonglerie aux enfants.

Dès la première minute, Louis me dévore des yeux entre les balles multicolores qui jaillissent de ses mains. Galvanisée, je monte fébrilement jusqu'à mon fil tendu haut, très haut, à 3 mètres 20 au moins. Sans hésiter, les bras et l'ombrelle tendus, je m'élance. Soulevée par son regard, j'avance. J'avance, je traverse, je réussis.

Je réussis.

Tout de suite je pose les yeux sur lui et souris. Les applaudissements explosent autour de moi, dedans. Je descends l'échelle et Louis est déjà là pour cueillir ma main et la promesse d'aller manger une crème glacée à la fin de la journée.

Devant le comptoir du glacier, déjà obnubilée par ses grands bras et son sourire qui apparaît et disparaît comme un rayon, j'hésite. Peut-être devrais-je choisir un sorbet, un parfum délicat pour s'accorder à mon ombrelle délicate et à l'image qu'il a déjà de moi, sans doute. Peut-être devrais-je lui dire en papillonnant des cils *choisis pour moi* ou *je vais prendre la même chose que toi*. On ne m'a jamais invitée à manger une crème glacée et je frissonne à l'idée que lui ne le fasse plus jamais. Mais tant pis.

— Je vais prendre une boule à la pistache et une autre au chocolat, dans un cornet sucré. Avec des petits bonbons multicolores sur le dessus, s'il vous plaît.

Le sourire de Louis, cette étincelle.

— Je vais prendre la même chose qu'elle.

Il y a des débuts comme ceux-là dont on se rappelle toute sa vie, qu'on racontera dans cinquante ans, peut-être en se trompant sur les parfums de crème glacée, mais en finissant toujours par dire *c'était une journée parfaite*.

. . . .

Au fil de l'été, Louis me grignote des yeux entre les balles multicolores qui jaillissent de ses mains, prend de petites bouchées de moi, et moi de lui. Intimidée, je me contente de marcher sur mon fil de fildefériste, à trois mètres du sol, pas un millimètre de plus. Pas question de m'humilier devant lui, dont je rêve déjà. Et c'est quand je m'imagine répondre à ses questions, raconter mon acharnement et mes échecs à exister en altitude que je commence à renoncer à mon idée fixe. Les rêves dont on n'ose parler à la personne que l'on aime sont certainement ceux auxquels on ne croit pas, plus, assez.

La dernière journée du camp de cirque, Louis m'invite à manger une crème glacée. Devant le comptoir du glacier, déjà obnubilée par ses grands bras et son sourire intermittent, j'hésite. Peut-être devrais-je choisir un parfum exotique, un monticule audacieux de sucre qui lui ferait penser *voilà une fille amusante et aventurière qui ne viendra jamais m'ennuyer avec des régimes et des téléromans*. Peut-être devrais-je lui avouer en baissant les cils *je sais que c'est banal, mais le parfum que je préfère, c'est vanille*, et lui répondrait *je le savais! De la crème glacée blanche et délicate, comme toi*. J'ouvre la bouche, mais il me devance.

— Nous allons prendre deux cornets de crème glacée au caramel.

Déçue, je souris. Il sourit aussi, feu de Bengale, et dit :

— J'étais certain que c'était ton parfum préféré. J'ai raison, n'est-ce pas ?

J'irradie, dis *oui*. Ce sera vrai à partir d'aujourd'hui, et toutes les fois où je raconterai ce premier rendez-vous. Cette fois où Louis a deviné mon parfum préféré. Il y a des débuts comme ceux-là qu'on se rappelle toute sa vie, qu'on racontera dans cinquante ans, peut-être en se trompant dans les détails, jamais sur le parfum de la crème glacée.

Le quotidien auprès de Louis se réinvente, il y fait couler une tendresse qui me cimente, qui rassemble tous ces petits grains de sable que je semais entre chaque repli de mes draps blancs, au fil de la sécheresse de mes heures. Le temps se dilate, se contracte, des étreintes qui durent des jours, des semaines qui s'égrènent en quelques secondes, des absences insupportables. J'apprends à partager mon sommeil, mes souvenirs, mes secrets, et tous semblent maintenant palpiter d'une vie nouvelle. Pas celle des contes de fées, l'amour est différent de ce que j'imaginais, bien sûr, rien n'est aussi parfait qu'en imagination et je le sais. Puis je l'oublie. Puis m'en souviens.

L'été suivant, Louis ne retourne pas enseigner au camp de cirque et je n'y retourne pas moi non plus, à quoi bon? Je refuse d'être fildefériste. Je me débarrasse de mes collants blancs, de mon tutu blanc, de mes pointes blanches, de mon rêve tout de blanc vêtu. Je me débarrasse de tout sauf de mon ombrelle, et je décide qu'il est grand temps de rêver des rêves neufs dans une vie neuve. J'ai dix-neuf ans et je suis prête à ce que la vie arrive, même si j'ignore encore de quoi elle sera faite.

Je pense que ce sera une très bonne affaire de quitter la maison de ma mère. Dans une boîte s'entassent déjà plusieurs petits objets dont j'imagine décorer mon propre foyer, quelques ustensiles de cuisine, des verres et des parasols colorés que j'ai chipés au restaurant où je vais souvent avec mes amis et avec lesquels je leur servirai moi-même des cocktails sucrés. Il est temps de quitter la maison de ma mère et de laisser les rêves de l'enfance sagement pliés et rangés.

Descendre la pente douce

Ma nouvelle vie matrimoniale est bercée par le vent cinglant de février qui fait couiner les fenêtres et le Petit Vau qui a peur. L'euphorie de la fête n'a pas duré et j'avance dans le mois sans envies de bossa-nova ni de gin-tonic.

Le chagrin continue de s'agglutiner sans jaillir et, à force de ne pas couler, mes larmes finissent par former une boule bien compacte, dure, qui niche au centre de ma cage thoracique. Elle me gêne un peu, mais on s'accoutume à tout, je prends l'habitude de la palper le matin en buvant mon café, debout près du comptoir de la cuisine, pour voir si elle grossit, se déplace, s'efface.

Arrive un jour où j'ai envie de l'observer. En souriant au Petit Vau pour le rassurer, je place le bout de mes doigts sur mon sternum et donne un coup sec, un autre, jusqu'à ce que sous mes ongles s'ouvre une fente assez large pour y glisser la main. C'est pénible, mais la douleur physique a une concrétude qui me fait du bien. Du bout de l'index, je sens enfin la boule. Je roule mon pouce dessous et donne un petit coup, elle atterrit dans ma paume dans un bruit mouillé. Essoufflée, je m'appuie au comptoir pour la regarder alors que la plaie sur mon torse se referme comme une bouche. Aucun sang n'y adhère, elle est translucide et propre, ma peine. Par curiosité, je rapproche la boule de ma poitrine, la plaie tend ses lèvres pour la reprendre en son sein sans cracher ni pus ni sang.

J'enfile mes bottes doublées et, les pieds au chaud, bien droite sur la terre dure et gelée, j'essaie de lancer la boule au loin, mais elle trace une courbe comme un boomerang et reprend sa place dans ma main. J'essaie une fois, deux fois, trois. Quatre. Je rentre, songeuse, me demandant ce qui serait advenu de moi si la boule n'était pas revenue, si ma peine avait été perdue, encore à vouloir regarder vers quoi les autres embranchements m'auraient menée.

Tous les matins désormais, je sors ma peine et l'observe en buvant mon café. Puis je la rapproche de ma poitrine, qui la ravale, et je pars travailler, ma peine bien en place.

Le midi, Phil et Flore tentent de me consoler, de me changer les idées, me parlent des autres qui viendront me divertir, de l'Autre qui viendra remplacer Louis. Cette idée m'épuise, m'effraie. J'ai tant voulu être connue, toutes ces années à me laisser apprivoiser, à être déchiffrée comme du braille par les doigts de Louis, et maintenant redevenir une inconnue... Avec son ongle patient, Louis avait gratté chaque parcelle du vernis dont j'étais recouverte. Aujourd'hui, je brille au soleil, fraîchement repeinte. Moi aussi on m'invente, maintenant.

C'est ce que fait cet homme, celui qui me fixe au-dessus de sa tasse, au café où je commande un sandwich. Ce qu'il imagine à propos de moi le pousse à se lever, à m'aborder, à lancer une blague qui me fait rire. Assez pour que je lui fasse signe de rester, ou plutôt, que je ne lui fasse pas signe de partir. Et puis avant que je m'en rende compte, je me déballe, ma mère mon champ mon ombrelle ma maison comme une cabane à oiseaux. Le vernis, finalement, n'est pas si difficile à décaper. J'y prends même un certain plaisir, contre toute attente, les miennes en tout cas.

De petits bouts de papier changent de main, nos numéros de téléphone, la promesse de se rappeler. Je rentre chez moi en savourant chaque pas, en savourant les rêves qui montent à la surface comme les bulles d'air soufflées par un poisson iridescent encore caché dans la vase du fond du lac.

. . . .

Moi aussi on m'invente, maintenant.

C'est ce que fait cet homme, celui qui n'existe pas encore et que j'essaie d'évoquer, mais ne fais que détester. Il n'existe pas encore et malgré tout je le déteste, je le déteste car il incarne la fin irrémédiable. Lorsque je leur en parle, Phil et Flore hochent la tête et disent doucement, pour ne pas me mettre en colère, *elle est déjà là, derrière, consommée, la fin irrémédiable.* Je hoche la tête à mon tour et ne réponds rien, pourtant je sais qu'elle n'est pas encore là. Non, car je n'ai pas encore réussi à l'imaginer et que jamais, jamais dans ma tête je ne me suis laissé précéder par la réalité.

Qu'il fait mal être seule dans l'hiver, même à deux parfois dans le froid, la solitude était si forte, si forte, aujourd'hui elle m'écrase et j'ai envie de m'écrouler sur le bord d'un sentier et de laisser la neige me soustraire au monde. Il faudrait inventer un autre mot pour cette solitude qui rende justice à son immensité. Mais ce ne sera pas moi qui l'inventerai, non, moi je ne veux plus rien inventer, j'ai trop imaginé de choses qu'il me faut maintenant défaire, désimaginer.

Le soir, le manque me prend à la gorge et ne desserre pas sa prise. La nuit, la vision cauchemardesque de Louis et d'une autre me réveille en sursaut. Le matin, le goût des larmes s'ajoute à l'amertume du café. Une autre est inconcevable, inimaginable, néanmoins je n'ai de cesse de l'imaginer.

Je deviens absolument obsédée à l'idée de les croiser, Louis et celle que j'ai inventée pour me remplacer. Celle-là ondoie dans mes pensées comme un mirage, magnifique un instant, pitoyable celui d'après, brillante et bête, gentille et détestable. Je l'imagine, lui, avoir pour elle des gestes qu'il avait pour moi, d'autres qu'il a inventés pour elle, je ne sais lesquels sont les pires. À eux deux, ils obnubilent mes pensées et réveillent mon orgueil. Chaque instant où je mets le pied hors de chez moi en est un où je pourrais le croiser. Les croiser. Même les cinq pas que je fais jusqu'à la boîte aux lettres sont devenus dangereux.

Finis, les jours où je me rends au travail les cheveux emmêlés, les cils pâles, le chandail de laine avachi, j'exhibe des dents blanches prêtes à étinceler en un sourire de conquérante. Les Aimés y décèlent un signe de guérison, c'est fâchant, à la fin.

Bien sûr, je ne croise pas Louis. Pas plus que cette hypothétique Celle-là.

Mars arrive et fouette mes joues autant que ma peine et ma colère, je décide de mettre fin à ce doute insupportable. Enveloppée dans mon plus chaud manteau, je marche jusque chez Louis, jusqu'à ce qui fut chez nous. À la vue de la maison, j'enfouis mon visage dans la fourrure de mon capuchon comme on met ses mains devant son visage en regardant entre les doigts. Il y a de la lumière à la fenêtre du salon, je m'y hisse tranquillement en me demandant de quelle couleur sont les murs maintenant. Tout ce chemin parcouru...

J'essuie le givre de la fenêtre avec ma mitaine. J'approche mon visage de l'ouverture.

Le tableau est identique à l'un des quarante-trois que j'avais imaginés. Louis est là avec Celle-là. Ils ne s'embrassent pas, ne se parlent pas. Ils sont simplement assis côte à côte sur le divan, lui lit le journal, son bras droit derrière ses épaules à elle, qui feuillette un magazine, la main gauche sur sa cuisse. Ils baignent dans un bien-être qui détruit les illusions que j'ai voulu entretenir, celles de sa solitude, de son ennui, de son manque de moi, de son manque de peau qu'il comble avec une autre qui pourrait être n'importe qui...

Après la douceur du tableau, l'hiver est encore plus brutal, pourtant je marche très lentement pour rentrer chez moi. Je repasse inlassablement les quelques images volées par le trou de givre, son bras au-dessus de ses épaules, sa main sur sa cuisse, le froissement des pages que je n'ai pas entendu mais c'est comme si. Mes larmes se pétrifient au coin de mes cils. Je marche dans la tempête et la solitude est palpable, douloureuse, les choses ne devaient pas se passer ainsi, pas comme ça.

. . . .

J'essuie le givre de la fenêtre avec ma mitaine. J'approche mon visage de l'ouverture.

Le tableau est identique à l'un des quarante-trois que j'avais imaginés. Louis est là, seul. Je reconnais ce mouvement de sa main qui se crispe sur son genou alors qu'il lit en laissant errer son regard hors des pages à chaque instant. Il est troublé. À un moment, il lance son journal sur la table du salon dans un grand froissement de papier et se cache le visage dans les mains. Avant de le voir pleurer, je redescends et m'éloigne.

Après la tristesse du tableau, l'hiver n'est presque plus brutal, ainsi je marche très lentement pour rentrer chez moi. Je repasse inlassablement les quelques images volées par le trou de givre, sa main qui se crispe sur son genou, son visage caché dans ses mains, le froissement des pages que je n'ai pas entendu mais c'est comme si. Mes larmes se pétrifient au coin de mes cils. Je marche dans la tempête et la solitude est palpable, douloureuse, les choses ne devaient pas se passer ainsi, rien de tout ça.

· · · · · · · ·

J'essuie le givre de la fenêtre avec ma mitaine. Mais je n'approche pas mon visage de l'ouverture.

Je redescends et je rebrousse chemin. Je marche très lentement pour rentrer chez moi. Le lendemain, il fait -30 °C, je mets un vieux coton ouaté gris et puis tant pis.

Imperceptiblement d'abord, comme les minutes de clarté qui s'ajoutent à la fin de chaque journée, le temps s'adoucit et avec lui ma peine. J'entends ma grand-mère répéter qu'*à Noël, les jours rallongent d'un pas d'hirondelle, aux Rois, d'un pas d'oie, et à la Chandeleur, d'une heure*, je cherche en vain une fête que je pourrais marquer du pas de mon Petit Vau, une rime. Même sans date sur le calendrier, je vois bien le soleil étirer mon ombre de plus en plus tard le soir et je m'attarde un peu sur le porche pour renifler les odeurs de terre qui dégèle.

Arrive un samedi d'avril où me prend une envie de ménage du printemps, une envie de maison qui sente bon le recommencement. J'ouvre ainsi la porte de cette pièce que j'avais laissée vacante et qu'il est temps de me réapproprier, cette deuxième chambre dont j'avais à peine franchi le seuil, celle à laquelle chacun des Aimés cherchait une utilité parce que le vide avait assurément le pouvoir de me blesser. *Une chambre d'amis, des amis avec qui te coucher à pas d'heure*, avait suggéré Flore, alors que presque tous les Aimés habitaient à moins de trente minutes de marche. *Une pièce pour peindre, pianoter, polir, projeter n'importe quel projet*, avait lancé Phil pour rallumer le regard que j'avais éteint. *Une chambre d'enfant, un jour*, avait décrété ma mère avec cette assurance qu'elle imaginait rassurante. Mais c'est ce qu'il m'avait fallu, le blanc, le calme, le vide.

Reste qu'il fallait l'apprivoiser, cette maison, cette chambre, en ce jour de ménage du printemps je décide d'y entrer, d'y marcher, de regarder la vue qu'offre la fenêtre, de m'appuyer sur le mur, d'ouvrir la porte de la garde-robe.

Derrière les cintres, je découvre une pente douce éclairée par une lumière diffuse. Curieuse, je m'engouffre dans le passage et descends pendant quelques instants, me demandant distraitement où j'aboutirai, dans le sous-sol, dans un terrier, dans un labyrinthe enchanté.

Je débouche plutôt dans la cuisine familiale de mes sept ans, un matin où j'avais décidé de préparer le déjeuner. Un déjeuner que j'envisageais comme un festin de roi, avec personne pour me dire que les petites filles ne peuvent pas préparer pareille tablée.

Je sens revenir dans mes membres la fébrilité de l'enfance, les gestes incertains, l'excitation qui embrouille les pensées du halo scintillant de l'immédiateté. Le souvenir de la pente douce de la garde-robe cède le terrain à toutes ces choses qu'il faut préparer au plus vite mais en s'appliquant. Des toasts, de la confiture de framboises bien rouge puisée dans un grand bocal à l'étiquette commerciale puis versée dans un petit pot de porcelaine blanche qui la rendra meilleure, du jus d'orange dans des verres assortis, pour une fois, des morceaux de cheddar marbré étalés en éventail dans une petite assiette, celle avec des chats qui sautent sur une portée, entre les notes de musique, des pommes tranchées en quartier, même le sucrier et le pot à lait de la visite, mais pas de café parce que je ne sais pas comment le préparer, le tout disposé sur la belle nappe fleurie des grandes occasions, avec des serviettes de papier pliées en triangle. Le couteau à droite, la fourchette à gauche, je m'en souviens.

Je cours à l'étage chercher maman, *viens vite, j'ai préparé une surprise !* Elle s'exclame en voyant la table, s'assoit pour boire son jus d'orange, se relève pour préparer le café. Nous mangeons nos toasts presque en silence, dans le glougloutement de la cafetière, en souriant et en regardant par la porte patio ce dimanche de juillet qui commence à déballer sa beauté, le plancher de bois est déjà chaud de soleil sous nos pieds nus.

Après un moment, mes pas me ramènent vers la pente de la garde-robe et, alors que cette vision ensoleillée s'éloigne, je sens mon corps s'alourdir du poids des ans et du chagrin.

Rapidement, la garde-robe devient ma drogue. Au lendemain de ma première excursion, pressée d'emprunter ce que j'imagine comme une voie express vers l'enfance et sa légèreté, je me retrouve plutôt sous le chapiteau de mon adolescence, l'ombrelle et mon rêve de funambulisme à bout de bras. Le surlendemain, c'est dans le champ et les derniers beaux jours de l'automne que je cours à perdre haleine avant que le gel n'étende sur le sol sa couche de sucre à glacer.

Chaque soir, je revisite un souvenir et, chaque soir, lorsque j'émerge de la garde-robe, j'ignore si ce souvenir est fidèle à la réalité. En y pensant avec délice, chaque fois je prie. Pas pour que ce souvenir soit vrai. Mais pour que personne, jamais, ne m'en parle et vienne en détruire ne serait-ce que le plus infime détail. Se rappeler, je le constate, n'est qu'une autre façon de rêver, et c'est dangereux de le faire à deux.

Arrive un soir où la pente douce de la garde-robe devient une pente raide qui dévale jusqu'à un lac, jusqu'à un quai où sont rassemblés les Aimés. Sous mes pieds, la caresse de l'herbe piquée de trèfle, dans mes jambes, la tension de mon corps qui veut descendre mais pas trop vite, attention, pas trop vite parce qu'il ne faut pas renverser les grands verres de bière au citron, notre nouvelle tocade. Puis sous mes pieds, les planches chaudes et mouillées du quai, puis sous mes fesses, puis l'eau du lac qui prend mes mollets dans un grand frisson exquis. Le soleil chauffe mes épaules et la bière dans ma gorge coule, délicieuse. Les Aimés se racontent leurs histoires, les nôtres, et tranquillement tombe sur le lac le soleil qui fait chatoyer la surface. Dans mon cœur s'agitent tant d'émotions trop grandes et trop pures pour qu'il les contienne toutes qu'elles suintent de chaque pore de ma peau pour couler dans l'eau. C'est une journée parfaite, c'est un souvenir parfait. Peu importe si ce jour-là de mes dix-sept ans il y avait une ombre au tableau, un chagrin comme il y en avait souvent dans mon jeune cœur romantique, un chagrin que j'ai oublié, aujourd'hui je revisite ma mémoire, qui n'en a gardé que la perfection, et je voudrais rester ici toujours.

Nous chantons toutes nos chansons et, quand il n'y en a plus, nous les chantons encore. Et alors mes vingt-six ans ne me disent plus rien qui vaille, la pente de la garde-robe non plus, la maison blanche et ma solitude blanche, le corps de plus en plus fatigué, les déceptions, les rêves qui n'arrivent pas, et je décide de me vautrer dans ce souvenir, le plus beau d'entre tous. Je resterai pour toujours sur le bord de ce lac à chanter les mêmes chansons.

C'est étrange, pourtant, à quel point la jeunesse dans laquelle je souhaite replonger me propulse en avant, celle que je redeviens n'a aucune intention de rester immobile où que ce soit, pour elle le meilleur est encore à venir. À un moment, mes jambes fourmillent si fort que je me lève, et mes pas me ramènent presque malgré moi sur la pente de la garde-robe et de ma vie d'adulte.

À la fenêtre, le soleil est déjà haut. J'ai donc passé toute la nuit dans ma cachette? Je m'empresse de filer au travail sans tuque ni foulard, même si «en avril...». J'ai à peine le temps de franchir la porte que Flore me saute au cou.

— OÙ ÉTAIS-TU?

Je la dévisage, il n'est que onze heures, après tout.

— J'étais morte d'inquiétude! Ça fait trois jours qu'on te cherche!

Je reste perplexe, hésitant entre la déception et le soulagement. Manifestement, mon passé a failli m'avaler.

. . . .

C'est une journée parfaite, c'est un souvenir parfait. Peu importe si ce jour-là de mes dix-sept ans il y avait une ombre au tableau, un chagrin comme il y en avait souvent dans mon jeune cœur romantique, un chagrin que j'ai oublié, aujourd'hui je revisite ma mémoire, qui n'en a gardé que la perfection, et je voudrais rester ici toujours.

Nous chantons toutes nos chansons et, quand il n'y en a plus, nous les chantons encore, et c'est uniquement la quatrième fois que je me résigne à extirper mes pieds de l'eau et à défaire mon chemin vers la pente, abrupte puis douce, vers la porte de la garde-robe que j'aperçois là-haut. D'un dernier regard j'embrasse les Aimés, leur visage si jeune, aucun angle encore aplani par le temps ni les choix, et, juste avant de partir, je me demande quelle impression me donnerait mon propre visage s'il m'était donné de me regarder droit dans les yeux. Avec la conviction qu'il ne vaut mieux pas, je continue lentement mon chemin vers la porte et la vie d'adulte qui m'attend derrière, celle dont aucun détail n'a encore passé dans le tamis de ma mémoire.

Dès lors, je prends la résolution d'espacer mes visites dans la garde-robe afin d'éviter la tentation de m'y installer comme Jonas dans sa baleine, confortablement coupée du monde. Impossible toutefois de résister à la curiosité, au bonheur de replonger dans ma propre vie. Je m'autorise désormais des visites hebdomadaires (le dimanche, pire journée où être célibataire), jusqu'au jour où la pente débouche sur un salon turquoise où Louis est agenouillé, occupé à vider une boîte de livres et à les placer dans la bibliothèque. Bouche bée, je ne peux résister à l'élan qui m'agenouille à ses côtés pour l'assister dans sa tâche en échangeant des coups d'œil joyeux, des phrases que nous complétons l'un pour l'autre, heureux babil qui habille de mots cette journée spéciale entre toutes, celle de notre déménagement dans cet endroit extraordinaire, comme hors du temps. Ou peut-être est-ce plutôt au milieu du temps? Quoi qu'il en soit, un endroit où il y a autant d'espace derrière que devant, autant après qu'avant. Et dans cet espace il y a nous. Ce que nous avons été, sommes, serons. N'est-ce pas le meilleur endroit où vivre quand on est amoureux?

Dans un effort contre lequel luttent toutes les cellules de mon corps, je m'arrache à ce moment de douceur, m'extirpe du salon à reculons et remonte pour la première fois la pente de la garde-robe en courant. Je m'écrase silencieusement dans mon lit, hésitant entre rire et pleurer, incapable des deux.

Louis, celui qui a été mien, n'est maintenant plus qu'un souvenir.

Ce que je voudrais que tu sois

Je l'ai appelée Anne, évidemment. Anne, comme l'héroïne de mon enfance, celle qui était douée pour le bonheur. Un nom comme un talisman contre la laideur du monde. Un nom grâce auquel ma fille sera toujours du côté de la beauté.

À sa naissance, j'ai invité les fées sans en oublier aucune, les plus vilaines se sont empiffrées de gâteau avec leurs couverts d'or sans lui prêter attention, les autres se sont penchées sur son berceau et l'ont dotée de ces qualités qui rendent la vie à la fois exaltante et douce. Nous avons ensuite dansé toute la nuit et tout le jour des farandoles autour de sa couche, avons lancé de pleines poignées de pétales dans les airs, nous sommes embrassés en nous serrant dans nos bras, avons entonné des cantiques de Noël et des chansons à répondre, nous avons fait tout ce qui pouvait remplir nos cœurs de joie et rejaillir sur mon enfant comme des offrandes de bonheur à venir.

Anne est une merveille, un enchantement auquel il m'arrive de ne pas croire tout à fait. Je me lève alors au plus noir de la nuit, je glisse silencieusement sur mes pantoufles jusqu'à sa chambre et je me penche pour lui souffler à mon tour les bénédictions auxquelles je peux penser. Je ne suis pas fée, mais je suis sa maman, et je me dis que ça doit comporter sa part de magie.

Je l'ai désirée, cette enfant, elle était une comptine que je me chantais depuis toujours, il me semble, puis un hymne qui avait résonné en moi de plus en plus fort. Chaque année s'y ajoutait un instrument de fanfare et j'avais accouché dans une explosion joyeuse de cymbales, de tubas et de cors français. Le rire d'Anne tinte comme un triangle, ses sanglots sont longs comme des violons, ses cris me percutent comme une caisse claire. Le reste de ma vie murmure telle l'assistance devant l'orchestre et c'est difficile d'y prêter attention.

Avec Anne, l'avenir s'incarne désormais dans des boucles et des fossettes, il sera toujours tangible, je pourrai le regarder sourire, pleurer, aimer, sauter dans les flaques. Anne réduit l'importance de tout ce qui n'est pas elle, de tout ce qui n'a pas mené à elle. Lorsqu'elle sera assez grande pour m'interroger, pour pointer mon visage sur des photos et me demander des histoires sur ma vie, je pourrai terminer chacune d'elles comme les contes, *ils vécurent heureux et eurent une belle enfant.* Toutes les péripéties, les gestes, traceront un sentier vers elle, des cailloux blancs jusqu'à mon enfant, *si j'étais devenue funambule, je ne t'aurais pas eue, si Louis ne m'avait pas quittée, tu ne serais pas née.* Anne aplanira les angles, remplira les failles, comblera les attentes.

C'est elle qui l'inventera, mon histoire qui ne finit pas.

. . . .

Je l'ai désirée, cette enfant, elle était une comptine que toutes les petites filles et moi chantions en sautant à la corde puis plus tard en nous peignant les ongles, mais, quand je chantais seule devant la glace, parfois ma voix s'enrouait et faussait. C'est en chorale que mon désir sonnait juste, j'avais réussi à tenir la note assez longtemps pour accoucher dans les murmures rauques mais romantiques d'une chanson française.

Les questions qui encore m'assaillent dans la nuit noire disparaissent comme les ombres lorsque se lève le sourire de ma fille. Je la contemple et me repais de sa présence, de la certitude qu'elle étend sur ma vie jusque-là zébrée de doutes, de rêves qui bousculaient la marche sereine des jours. J'ai honte de renier cette autre femme que j'étais, toutes ces autres versions de moi, mais Anne recouvre mon existence comme une marée et peu m'importe désormais les créatures sous-marines, les épaves, les profondeurs abyssales.

Chaque saison, j'envoie des bouquets aux fées, des tulipes au printemps, des pivoines en été, des feuilles d'érable en automne et des couronnes de gui en hiver. Qu'elles n'oublient pas Anne, jamais, qu'elles renouent les fils de leurs sortilèges afin que ma fille soit protégée des calamités. Pour elle, j'aimerais tant ériger une muraille de douceur, mais je ne sais qu'envoyer des bouquets et tenter de mon mieux de camoufler mon œil inquiet. Jamais je ne troquerai mes bijoux et mes chansons pour des jupes noires froufroutantes et le croassement des corneilles, je me le répète le soir comme une prière, agenouillée devant son berceau. Et je tergiverse : j'aimerais tant lui faire croire que ses rêves se réaliseront toujours, mais vaut-il mieux voguer sur cette certitude le plus longtemps possible avant que ne se fracassent les premières grandes vagues de déception ou apprendre au plus tôt à monter et descendre au rythme des flots sans couler?

Je n'arrive pas à trancher, aussi je décide pour l'instant de cultiver son amour des choses qui ne déçoivent jamais. Dès ses premières années, de nombreuses activités enguirlandent nos journées : cuisiner des gâteaux sucrés recouverts de jujubes multicolores, se fourrer le nez dans les bosquets de lilas, courir dans les bois, assister à des spectacles de cirque en mangeant du popcorn. Et lui montrer ces merveilles qui ont illuminé mon enfance, mon champ dans lequel s'envolaient les libellules, le chapiteau où j'ai vu la funambule toute de blanc vêtue, celui où j'ai passé des étés à m'entraîner, puis les lieux mythiques du reste de ma vie, ma première maison comme une cabane à oiseaux, la clôture où se perchait le Petit Vau, l'endroit où j'ai rencontré son père. Faire revivre mon passé devant ses yeux et dans sa mémoire pour qu'il ne s'éteigne pas avec moi.

Anne s'abreuvera à ma mythologie comme à mon sein, mes histoires couleront en elle comme le lait et irrigueront sa personnalité, répandront leur saveur ainsi que des feuilles de thé dans une eau claire et pure. Je fantasme déjà sur ces soirées de contes, je répète mes récits, les polis comme une écrivaine, me prépare à les livrer à l'enfant, à l'adolescente puis à la femme qu'elle sera, des histoires pour chaque époque de sa vie, des épopées fantastiques, des confessions émouvantes, des aventures. Et mon existence deviendra en elle un sol dans lequel enfoncer ses propres racines et imaginer sa vie, mais dans un enchevêtrement tel qu'elle ne pourra faire autrement que de raconter à son tour mes histoires à sa fille, et sa fille à la sienne, et ainsi de suite, pour les siècles des siècles.

. . . .

Chaque saison, j'envoie des bouquets aux fées, des tulipes au printemps, des pivoines en été, des feuilles d'érable en automne et des couronnes de gui en hiver. Qu'elles n'oublient pas Anne, jamais, qu'elles renouent les fils de leurs sortilèges afin que ma fille soit protégée des calamités. Pour elle, j'érige de mon mieux une muraille de douceur, je bâtis des palissades de ouate, de cristaux de sucre et de paillettes contre lesquels rebondir sans heurts. J'essaie assidûment d'en redéfinir la dimension, mais elle grandit si vite, si vite, bientôt ses doigts arrachent des morceaux de ouate comme de la barbe à papa et elle les porte à sa bouche en me souriant. Je lui rends son sourire, mais, si elle était un peu plus grande, elle verrait bien que ma lèvre tremble.

J'aimerais tant avoir enfanté une fille simple, un être sans doutes, mais comment élever une enfant pour qui la vie ne trébuche jamais dans les tapis ni les grandes crevasses ? Je ne sais faire autre chose que lui apprendre à cultiver la joie des choses qui ne déçoivent pas, et, dès ses premières années, j'enguirlande nos journées d'activités simples et joyeuses : toujours s'arrêter dans la rue pour renifler les fleurs que l'on préfère (elle, les marguerites, moi, les lilas) ; cuisiner des desserts chaque samedi (l'empêcher, tout de même, de toujours refaire du gâteau aux carottes) ; des escapades au zoo, au parc, au cirque. Sans jamais raconter les gâteaux trop sucrés de ma mère, ni mes rêves de funambulisme, ni mon champ qui n'en était pas vraiment un, sans lui induire aucun bagage, aucun souvenir qui ne soit le sien, aucun poids qui ne soit son propre fardeau. Je l'emmènerai simplement se fourrer le nez dans les bosquets fleuris, et sauter dans l'eau froide d'un lac en hurlant, et tirer la langue sous la neige douce de décembre, et ce sera tout, et ce sera suffisant. Car, à cette heure, il me semble que la vie, sûrement, est plus douce lorsque banale. Aussi je lutterai contre mon envie de faire vivre ma mythologie à travers elle et j'accepterai que mes souvenirs disparaissent avec moi, que ma seule histoire qui dure soit elle, Anne.

Mais quelle est-elle, cette histoire? Ma fille est un rêve chaque jour renouvelé, le plus beau souvenir passé et à venir, des pas toujours vers l'avant. Ma fille que je ne connaîtrai pourtant jamais vraiment, tout occupée que je suis, chaque jour de ma vie, à exister, à m'imaginer une existence. À imaginer la sienne. Ma fille qui sera tout aussi occupée, chaque jour de sa vie, à exister, à s'imaginer une existence. Peut-être à imaginer la mienne. Chacune à la fenêtre de sa tour d'ivoire, à agiter un mouchoir en se criant des mots d'amour, les meilleurs jours.

Le temps qui passe et cette enfant qui grandit en posant parfois sur moi un regard qui vient de loin me poussent tranquillement à poser le mien sur ma mère. Qui était-elle avant moi? À quoi rêvait-elle lorsqu'elle avait quinze ans, trente? Je dois impérativement apprendre à lui pardonner ses corneilles croassantes et ses longues jupes noires pour être en droit, le jour où Anne me reprochera les miennes, d'espérer, de rêver son indulgence.

J'entreprends de revisiter mes souvenirs, de les observer avec un regard lavé de l'intransigeance de ma jeunesse. Comme une impératrice qui supervise la rédaction d'un livre d'histoire, je choisirai les morceaux de nos vies qui passeront à la postérité. Et, à force de la répéter, cette version de ma mère et moi deviendra la seule vérité.

— Maman gardait des paons dans un enclos pour toujours avoir sous la main des plumes avec lesquelles décorer ses cheveux; elle chantait l'opéra si haut et si bien que des bulles multicolores s'échappaient de sa bouche. Parfois, elle riait tant et tellement que de petites larmes s'accrochaient à ses cils et se transformaient en diamants, nous les vendions à grand prix aux joailliers de la ville. Au retour, elle m'offrait de magnifiques animaux en pâte d'amande que je dévorais en commençant par les pattes en imaginant que ça leur faisait mal. Maman m'affirmait toujours que oui, bien sûr, l'avenir serait fait de tout ce que j'y mettrais. Avec elle, tous les rêves étaient permis.

— Et, malgré tout, tu as consacré ta vie à trier le courrier…

— Et à toi, Anne. À toi.

— …

N'y a-t-il donc pas d'issue? Anne me méprise. J'ai fait de sa grand-mère un mythe auquel maintenant elle me compare, toujours à mon désavantage. Faudra-t-il qu'elle ait une fille à son tour pour qu'enfin j'aie droit à son indulgence?

Si jeune et déjà pleine de convictions, de buts vers lesquels filer comme une flèche. Je regarde ma fille et chaque fois elle me tend un miroir dans lequel contempler la banalité de ma vie. J'ai alors un pincement au cœur en même temps qu'une bouffée de fierté. Je n'ai pas réussi à préserver Anne d'une vie tumultueuse, mais mon impérieuse, mon impétueuse fille aurait de toute façon craché sur cette douceur que je voulais tant lui offrir sous un couvert de simplicité.

Et voilà que ma vie devient tranquillement la sienne, lorsqu'à l'épicerie on me demande des nouvelles, c'est d'elle que je parle, Anne ma fierté mon bonheur ma joie. Car si elle se dirige vers un destin exceptionnel, n'est-ce pas un peu grâce à moi qui l'ai si bien aimée, élevée, guidée? Et lorsque viendront la vieillesse et l'heure des legs, j'ouvrirai la porte de ma garde-robe et j'en extirperai mes plus beaux souvenirs, mon ombrelle de dentelle, un morceau de casse-tête, une plume du Petit Vau, un cadre dans lequel scintillent les sourires des Aimés, et je les remettrai solennellement à Anne en priant pour qu'elle ne s'en débarrasse pas.

Mais quand arrivera cet instant, je verrai bien à l'éclat virevoltant de sa prunelle que ces objets n'ont de sens qu'entre mes mains. Dans les siennes, ils ne voudront plus rien dire et c'est normal, à quoi avais-je pensé? Je n'ai rien gardé de ma mère qui ne soit lié à moi. Aussi je resserrerai mes bras autour de ces objets qui disparaîtront avec moi.

Est-ce donc ainsi que l'on vit et que l'on meurt, n'y a-t-il rien de plus? Remontera probablement en moi l'amertume de la banalité, mais, heureusement, avant de fermer les yeux pour de bon, je les poserai sur Anne, mon histoire qui dure, qui dure, et je serai en paix.

. . . .

Ma fille est un mystère chaque jour renouvelé, mon enfant que je ne connaîtrai jamais vraiment, tout occupée que je suis à exister, à m'imaginer une existence. À imaginer la sienne. Ma fille qui sera tout aussi occupée à exister, à s'imaginer une existence.

Lorsque chaque après-midi maintenant je la cueille à la sortie de la cour d'école, je ne récolte que du silence, Anne est un petit moineau frileux qui ne parle pas beaucoup et jamais pour rêver à haute voix. Je ne peux résister parfois à l'envie de lui lire des contes de fées, mais elle ne ressent pas comme moi l'incommensurable plaisir de dire *il était une fois*. Je n'ose toutefois pas lui inoculer l'envie des grandes galopades, je la regarde cheminer lentement sans courir ni tomber et je m'efforce de me réjouir, ma fille aura la tranquillité d'esprit que je lui ai rêvée.

Anne, elle, n'a pas de rêves, elle a des objectifs. C'est ce qu'elle m'explique lorsqu'elle a l'âge de décider et de m'expliquer. Et son objectif, à ma grande stupéfaction, c'est de devenir esthéticienne. Enlever des poils et des points noirs, tripoter des épidermes pour leur donner une apparence plus lisse, plus jeune, était-ce vraiment vers cela que s'envolait son esprit lorsqu'elle appuyait son menton dans sa paume et que son regard s'échappait par la fenêtre ? Mais qui suis-je, moi, la postière, pour dédaigner son choix ? Parce que j'avais eu des idées de grandeur, de hauteur, cela avait-il rendu plus noble ma dégringolade vers un métier terre à terre ? Et n'est-ce pas ce que j'avais voulu, une enfant à la vie simple et droite comme les rangs d'un jardin ?

Je ravale donc mon effarement et je l'écoute chaque semaine me parler de son objectif d'ouvrir un jour son salon, d'être sa propre patronne, je la laisse se faire la main sur mes ongles mes aisselles mes pattes d'oie ma chevelure, je donne sa carte de visite à chacun des Aimés et puis, des années plus tard quand son objectif se réalise, j'achète une bouteille de champagne, j'entre-choque ma flûte avec la sienne et je suis heureuse, vraiment heureuse, de voir mon petit moineau frileux pépier gaiement.

Lorsque viendront la vieillesse et l'heure des legs, je sais que je ne pourrai pas ouvrir la porte de ma garde-robe et en extirper mes plus beaux souvenirs pour les remettre à Anne. Je resserrerai mes bras autour de ces petites choses qui portent la trace de mon existence et qui disparaîtront avec moi, et je me demanderai *c'était ça, c'était tout?* Et quand, les soirs où avec les Aimés je jouerai à être jeune encore et que nous enfilerons les gin-tonics en ricanant puis en nous émouvant puis en ricanant encore, nous nous demanderons *et si c'était à refaire, referais-tu pareil?*, j'aurai l'honnêteté des grandes cuites et répondrai *je ne sais pas, je ne pense pas.*

Je l'ai eue, ma fille, mon histoire qui dure, et malgré tout la vie a été banale. Je pose un regard envieux sur presque tout le monde et je me demande si, depuis le début, je rêve de travers. Ou peut-être que c'est toujours ainsi, la maternité, toujours différent de ce qu'on imaginait, bien sûr. Rien n'est jamais aussi parfait qu'en imagination, mais les mères ne l'avouent pas.

. . . .

Ma fille est un rêve chaque jour renouvelé, le plus beau souvenir passé et à venir, des pas toujours vers l'avant.

Ma fille que je connais par cœur, qui me ressemble dans tout ce que j'ai de meilleur.

Lorsque chaque après-midi maintenant je la cueille à la sortie de la cour d'école, je récolte du même élan ses histoires, celles de sa meilleure amie Diana, du garçon qu'elle déteste parce qu'il lui tire les tresses, des choré-graphies et des joutes de ballon-chasseur, je l'écoute en souriant parce que le passage des années ne m'a pas dépouillée de mes propres souvenirs et que je peux les placer devant les siens comme un papier cellophane. Elle est un petit lutin recouvert de paillettes sur les-quelles rebondit la lumière qui vient ensuite danser sur tous les recoins de ma vie. Lorsque parfois je la vois s'éloigner sur un radeau pour aller jouer avec ses amis et que d'un côté ondule un grand serpent de mer et de l'autre, une sirène, j'ai envie pourtant d'ouvrir la fenêtre pour crier *attention, Anne, reste droite, ne chavire pas!*, mais je ne le fais presque jamais, quand je succombe de toute façon Anne ne se retourne pas.

Aussi rapidement qu'une pirouette de colibri, sa main devient grande dans la mienne, puis elle ne veut plus la tenir, puis elle est assez vieille pour le vouloir de nouveau. Je la regarde devenir une femme heureuse, épanouie, qui a rêvé à foison et qui a récolté avec presque autant d'abondance.

Anne est partie de la maison de la ville du pays, ses songes l'ont propulsée si haut dans le ciel qu'elle s'est assise sur l'aile d'un avion. Chaque semaine, elle m'écrit une jolie missive dans laquelle elle me raconte les aventures formidables et terribles et formidables encore qui lui arrivent. Pour moi, elle déniche de formi-dables cartes postales sur lesquelles elle appose des timbres somptueux comme des œuvres d'art. Chaque mois, le téléphone sonne et je me précipite comme une adolescente qui attend l'appel de son soupirant. Ma fille se raconte, se confie, demande conseil, et cet amour qui gonfle mon cœur est plus puissant que ce que j'aurais pu imaginer. Et j'en ai, de l'imagination.

Ma fille est tout ce que je m'étais rêvé de plus beau, et même si son éloignement fait pousser en ma poitrine une boule de peine que je palpe chaque matin pour voir si elle grossit, se déplace, s'efface, par Anne je touche la grâce d'une vie extraordinaire, qui n'a pas été banale et ne le sera pas. Et cela vaut bien sa part de chagrin.

. . . .

Ma fille sera un rêve chaque jour renouvelé, mon garçon sera le plus beau souvenir passé et à venir, des pas toujours vers l'avant.

Je caresse mon ventre dans lequel tu barbotes et je rêve de toi, petite grenouille. Je tente vaillamment de ne pas te vouloir de quelque façon que ce soit, fille ou garçon, petite ou grande, pétillante ou discrète, accordéoniste ou joueuse de balle molle... Mais dans mon lit se tortillent malgré moi une couvée de minuscules fantômes porteurs de mes plus sublimes et de mes pires fantasmes. Mon petit garçon joufflu et rieur avec qui je plante des bulbes dans le jardin. Ma grande adolescente avec qui je partage les secrets de la féminité en savourant un café au lait. Mon fils qui m'offre des fleurs en cure-pipes. Ma fille qui crie *je te déteste*. Se glisse même le petit fantôme d'un bébé malade que je repousse d'abord du pied et qui tombe cul par-dessus tête sur le plancher. Mais je dois bien le faire remonter parmi les autres, le regarder en face, l'accueillir sous la couette et contre mon corps chaud, puisqu'il est, lui aussi, une possibilité.

Je caresse mon ventre et je tremble autant de peur que de joie. Qui seras-tu, mon bébé ? Seras-tu ce que je voudrais que tu sois ?

. . . .

Je caresse mon ventre et je rêve d'une petite grenouille. Si je devais un jour porter un enfant et que c'était une fille, je l'appellerais Anne, évidemment. Anne, comme l'héroïne de mon enfance, celle qui était douée pour le bonheur. Un nom comme un talisman contre la laideur du monde. Un nom grâce auquel ma fille, celle que je me fais violence de ne pas trop imaginer, pour son bien, pour le mien, serait toujours du côté de la beauté.

Les tours de manège

Après cette dégringolade inopinée dans mon ancien salon turquoise, les jours déboulent eux aussi. Les semaines filent comme si le temps pressait tout à coup, et peu à peu je ne m'ennuie plus de Louis, de ma vie, parce que je ne m'en souviens plus, de cette vie qui était la mienne, la nôtre. Je découds des années de rêves tissés serré, ceux des soirées du dimanche à jouer au Scrabble, du voyage dans le désert, de la noce festive qui se serait ouverte avec cette chanson qui le faisait danser, des enfants élevés suivant le pacte rédigé naguère sur un napperon de papier, de la vieillesse à s'émerveiller de cette vie passée ensemble depuis presque le début... Ces rêves jamais réalisés forment maintenant un tas de retailles qu'il faut balayer et jeter, et je le fais vaillamment, je peux le faire désormais, mais *c'est d'une tristesse*, je le dis avec calme au Petit Vau qui m'écoute.

Je ne m'ennuie plus de Louis, mais mes pensées se promènent encore parfois autour de lui, lorsque je me rappelle soudain, par exemple, cette habitude qu'avait son père de m'entraîner dans son jardin pour me désigner chaque fleur, chaque légume, lors de nos visites chez lui. Ce rituel me manque, mais je ne le dirai à personne, de peur que quelqu'un entende *la vie avec Louis me manque.*

Je ne m'ennuie plus de Louis mais je m'ennuie. Ma main, mon lit, mon sexe, mon esprit, tout est vide, sec comme la cassonade que je viens de jeter à la poubelle parce que j'avais oublié d'y glisser un quignon de pain. Comment rembarquer à bord du carrousel? Il y a si longtemps qu'il tourne sans moi, toujours peut-être, puisqu'avec Louis c'est un peu à l'écart que je regardais passer la parade, réfugiée dans notre amour, dans notre maison comme une cabane à oiseaux. Par la fenêtre ouverte, j'entends les carouges à épaulettes qui s'égosillent, et des parfums de tulipes et d'herbe mouillée me frappent successivement les narines. Devant mes tiroirs grand ouverts, mes mains caressent les étoffes soyeuses, déplacent les piles. Je cherche de quoi parer mon corps et mon cœur que je veux avoir à la fête, le Petit Vau me dévisage avec le même dédain qu'il a pour les carouges, l'air de dire *ces couleurs, ces notes joyeuses, franchement.*

Le printemps a le dos presque aussi large que celui de l'hiver et je lui attribue chacune de mes sautes d'humeur. Phil et Flore m'accompagnent dans mes joies et mes tragédies, ils me préfèrent intense et tourbillonnante plutôt que silencieuse dans ma maison blanche. Ils ne savent pas toujours quoi dire, mais ils savent boire et détourner les yeux lorsque j'embrasse à pleine bouche le goulot des bouteilles et les jolis garçons. Il me *faut* boire et embrasser, remplir mes oreilles de compliments et de musique, gesticuler sur les pistes de danse, vivre fort, parce que sinon, à quoi bon? Je rêve de moi dans quelque temps qui dirai avec un sourire en coin *ah moi, en tout cas, j'en ai profité, de mon célibat!* Et je m'imagine tirer une grande satisfaction de cette vie si pleine de tout qui sera la mienne, si supérieure à ce qu'elle a été jusque-là, parce que qui se rappelle ceux dont l'existence fut lisse comme un lac? Je ne veux pas d'une histoire que l'on n'ait pas envie de raconter.

Il y a des matins pourtant où l'odeur des lilas me donne une féroce envie de pleurer que les baisers de la veille n'atténuent pas. Où se cache donc ma ration de douceur? Mais j'enfouis vite mon visage dans des brassées de grappes mauves qui embaument mes pensées d'un parfum si suave que le malheur n'a pas la force de s'y attarder. Et chaque jour je quitte ma maison blanche le plus tôt possible et j'y rentre le plus tard possible afin de m'épivarder jusqu'à plus soif dans les couleurs vives du mois de mai.

L'hiver est bel et bien terminé et je me tiens aussi droite qu'une tige, la tête tournée vers le soleil même quand le temps est nuageux. J'ai mes Aimés, ma maison, mon travail, mon Petit Vau. Les lilas, le chant des carouges et les macarons à la pistache que j'achète à la pâtisserie les vendredis. Vraiment, je ne vois pas pourquoi je ne serais pas tout à fait heureuse.

. . . .

Il y a des matins pourtant où l'odeur des lilas me donne une féroce envie de pleurer que les baisers de la veille n'atténuent pas, au contraire. Où se cache donc ma ration de douceur? À quand celui qui m'offrira des brassées de grappes mauves parce que faire gonfler mon cœur gonflera le sien? Malgré les Aimés, ma maison, mon travail, mon Petit Vau, je ressens dans ma poitrine un creux que rien n'arrive à remplir, et au diable les lilas, les carouges et toutes les splendeurs irritantes du printemps.

Je deviens alors quelqu'un que je n'ai jamais imaginé, que je n'aurais jamais osé imaginer. N'importe quoi, n'importe qui pour m'étourdir, me changer les idées. Je précipite mon imagination dans chaque porte entrouverte, dans chaque fenêtre, les affiches, les passants. Le premier qui me regardera avec des yeux qui brillent et qui me convaincra que c'est à cause de mon propre éclat m'allongera dans son lit.

C'est dans un bar que je rencontre celui qui a l'étincelle et le mot justes. C'est tout naturellement que je le suis chez lui lorsque vient l'heure de rallumer brusquement toutes les ampoules puis de les éteindre, tout naturellement que je le laisse étendre son corps sur le mien et que je tripote cette chair nouvelle, curieuse et enjouée devant tant de sensations inédites, tout naturellement que je l'invite chez moi le lendemain, et le surlendemain. Après sa longue période de dormance, mon corps exulte d'être à nouveau frotté chatouillé pincé léché embroché festoyé.

Cet amant, je ne l'aime pas, bien sûr, je le connais à peine, et puis ce serait trop tôt trop vite. Ce que j'aime, ce sont ses mains, des mains sans habitudes sur mon corps, traçant un sentier neuf de mes bras à mes seins, de mes mollets à mes reins. Je ne l'aime pas, et, malgré tout, ma gorge se serre cette fois où il ne me rend pas mon appel. Et le soir d'après. Le suivant, je n'appelle pas et lui non plus.

J'appelle une dernière fois *juste au cas*, après la huitième sonnerie je dépose mon téléphone, qui claque sur son socle, et avec ce claquement se referme une histoire qui a fait son travail : grâce à elle, chaque nuit je me suis endormie en pensant à un autre que Louis.

Ce soir, toutefois, je pense à eux deux.

Je ne sais même plus pour qui je pleure mais je pleure. Avec cet amant, j'ai tourné tourné tourné comme dans un carrousel, tous les contours étaient flous, colorés, maintenant que j'ai arrêté de tournoyer, ne me reste que le mal de cœur et la vue qui redevient redoutablement nette. Même l'étourdissement a une fin, quelle déception! Sans ce hochet qui a capté mon attention, je me retrouve de nouveau plongée dans la solitude, dans le manque, je ne sais plus de qui.

Je trouve tout de même la force d'en rire, de mon imagination et de ma naïveté et de moi. C'est drôle, quand même, avoir espéré pouvoir ainsi m'empêcher de penser, croire que cette histoire facile pourrait être facilement oubliée. Espérer que ma peine passerait comme l'orage, qu'après la pluie le beau temps, que tout se déroulerait tel un grand ruban, chronologiquement, la rupture, la douleur, la cicatrisation, le bonheur neuf.

Je croyais que cet amant était la première marche d'un escalier qui me ramènerait au sommet de la pente, alors qu'il n'y avait pas d'escalier. Comment n'y avais-je pas pensé? Il n'y avait qu'un fil tendu sur lequel je devais réapprendre à marcher. Et maintenant, voilà, ce n'était pas plus grave, ça m'était arrivé des centaines de fois, je venais simplement de m'écraser dans le matelas bleu. Attrape ton ombrelle et remonte.

. . . .

N'importe quoi, n'importe qui pour m'étourdir, me changer les idées. Je précipite mon imagination dans chaque porte entrouverte, dans chaque fenêtre, les affiches, les passants. Ceux qui me regarderont avec des yeux qui brillent fort et qui me convaincront que c'est à cause de mon propre éclat m'allongeront dans leur lit ou à l'arrière de leur voiture.

C'est au marché, au-dessus d'un étal de mangues dont la chair semble juste assez tendre sous mes doigts, que nos regards se croisent. Lui aussi tripote les fruits et ses longs doigts minces me paraissent habiles et fermes, la lueur dans son regard me fait frissonner sous mon petit cardigan de coton. Il n'attend visiblement qu'un signe pour m'enlever mes pelures. Je me saisis d'une pomme bien rouge et je la fais nonchalamment rouler vers le stationnement qui jouxte le marché, nous la suivons gaiement comme le péché, si avides de la rattraper!

Aussitôt éloignés des étals, à l'abri des regards (mais pour combien de temps?), il me plaque contre un pick-up et ses longs doigts habiles, si habiles, déboutonnent mon cardigan puis fouillent sous ma jupe, nos langues s'entortillent et je jurerais que ça goûte la mangue, en avons-nous mangé? Nous haletons haletons haletons, souriant parfois parce que, ma foi, que se passe-t-il donc? Mais pas trop, car pour rien au monde nous ne voudrions qu'un fou rire interrompe la cadence avant la jouissance.

Et elle vient, belle, chaude, sucrée comme un fruit mûr qui tombe dans nos mains tendues.

Un peu gênés, nous réajustons nos vêtements en ricanant. En m'éloignant, je lui souffle un baiser.

— Merci pour le tour de manège!

Il éclate de rire et exécute une petite courbette avant de s'éloigner à son tour. Un instant, j'ai envie de le rattraper et de glisser un bout de papier avec mon numéro de téléphone dans la poche de son pantalon. Mais, en haussant les épaules, je me détourne et continue de marcher, prenant soin de placer mes pieds sur une ligne de goudron dans l'asphalte comme si c'était un fil. Au bout du stationnement, des balles de foin jonchent le sol et me barrent le chemin. J'hésite un instant et, riant de mes réflexes d'enfant, je saute de côté ainsi que je le ferais dans un matelas, je fais une pirouette pour contourner les balles de foin et je remonte sur mon fil imaginaire.

. . . .

N'importe quoi, n'importe qui pour m'étourdir, me changer les idées. Même me mépriser. Je ne sais plus vers quoi tourner ma pensée, ainsi je précipite mon imagination dans chaque porte entrouverte, dans chaque fenêtre, les affiches, les passants. Puis dans l'échoppe du pâtissier.

Il se tient derrière le comptoir et dispose des macarons à la pistache dans le présentoir. Je vois bien un anneau scintiller à sa main gauche, mais ses yeux dans les miens scintillent plus fort encore et je ne regarde rien d'autre. Il m'offre alors un compliment pastel et voilà que je me précipite vers lui pour m'empiffrer encore davantage du sucre de ses paroles. Dans l'arrière-boutique, parmi les effluves de crème anglaise et de caramel qui me rappellent les plus beaux anniversaires de mon enfance, nous buvons des alcools forts en les mélangeant tous, puis nous rions de notre bêtise comme des gamins.

Tout est si facile, si agréable, et je suis à la fois reconnaissante et rancunière envers cet anneau à son doigt qui empêche tout, qui protège de tout. C'est lui, peut-être, qui distille de la magie.

Je m'apprête à rentrer en songeant à la fatalité lorsque le pâtissier me demande de rester. J'hésite, mais il insiste avec des mots sérieux et presque malheureux, et c'est cette déchirure dans sa force, cette faille à cause de moi, *pour moi*, qui me propulse vers lui comme une bête dans un ravin. Je bouscule tout, défonce tout, oublie tout, l'embrasse. Même si je me répète que c'est mal, je n'arrive pas à me sentir coupable plus longtemps que le moment fugace d'une pensée. Il pare chacun de ses gestes de la douceur et de l'intensité de l'amour, et c'est si bon de retrouver ces émotions que tout le reste, assurément, est de moindre importance.

Le lendemain rayonne sous les feux de l'été et je voudrais tant qu'il neige! Qu'il neige pour que disparaisse la trace de mes pas enfoncés tard dans la terre boueuse de sa boutique jusqu'à chez moi. Qu'il neige pour jeter un manteau de pureté sur le rouge de mes pensées. Qu'il neige tant que je sois recouverte en entier et que l'on m'oublie. Que j'oublie cette féroce envie de recommencer. Que j'arrête d'écouter, de réécouter et d'écouter encore cette chanson sur laquelle il m'a invitée à boire, à danser. Cette chanson qui, quand je ferme les yeux, me permet d'évoquer ses gestes, ceux qui me redonnent au ventre comme une envolée d'outardes filant vers le sud, vers la chaleur au creux de mes cuisses.

Qu'est-ce que je penserais de moi si je me voyais avec mes yeux d'il y a six mois?

Avec le troisième café arrivent enfin la raison, la détermination. Je ferme la fenêtre, et les avions de papier que me lance le pâtissier les jours qui suivent viennent se frapper à la vitre derrière laquelle les rideaux sont tirés. J'éteins le tourne-disque, la chanson que je ne cessais d'écouter éclate bruyamment en morceaux de vinyle dans ma poubelle de métal. Je noie mes fantasmes à grandes rasades de tisane à la camomille, étouffe cette étincelle malsaine qui menaçait de flamber tout ce que je suis, tout ce que je veux être.

Cette nuit avec lui a été un tour de montagnes russes, j'ai bien fait de sauter après le premier tour, avant de vomir, avant de me vider et qu'en dedans il ne me reste plus rien. Plus rien.

. . . .

Le lendemain rayonne sous les feux de l'été et je voudrais tant qu'il neige! Qu'il neige pour que disparaisse la trace de mes pas dans la terre boueuse de sa boutique jusqu'à chez moi. Qu'il neige pour jeter un manteau de pureté sur le rouge de mes pensées. Qu'il neige tant que je sois recouverte en entier et que l'on m'oublie. Que j'oublie cette féroce envie de recommencer. Que j'arrête d'écouter, de réécouter et d'écouter encore cette chanson qui, quand je ferme les yeux, me permet d'évoquer ses gestes, ceux qui me redonnent au ventre comme une envolée d'outardes filant vers le sud, vers la chaleur au creux de mes cuisses.

Mais le ciel reste clair et mes pensées, troublées. Je souhaite la neige, l'oubli, et pourtant, la chanson aussitôt achevée, je la recommence, referme les yeux, refais le chemin de ses mains, des miennes. Et quand, quelques jours plus tard, il devient plus difficile d'évoquer le souvenir de la soirée, de sentir battre dans mon ventre le tiraillement qui s'accentue comme lorsque le wagon cliquette sur les rails avant de les dévaler, c'est de la déception que je ressens bien plus que du soulagement.

Désormais, le pâtissier me contemple et je me mets à vivre pour son regard, puisqu'il n'y a rien d'autre. Je tournoie dans des robes trop légères pour les nuits qui rafraîchissent, mais peu importe si j'ai froid tant qu'il y a son regard, puisqu'il n'y a rien d'autre. Rien d'autre. C'est tellement pathétique que dès qu'il détourne les yeux, je baisse les miens. Je fuis les miroirs par peur de ne pas reconnaître cette salope qui s'y mire. Ou, pire, de la reconnaître.

Elle est là, l'amertume, elle m'observe, et elle a mes propres yeux pour me dévisager. Devant elle, je m'accroupis comme aux premiers temps du chagrin, comme s'il n'y avait pas eu des jours et des jours, du chagrin et du chagrin qui avaient coulé, comme si ce n'était jamais assez.

Alors que doucement les glaïeuls cèdent la place aux asters, le pâtissier lance des avions en papier qui fendent l'air et atterrissent sur mon tapis blanc, ce sont des mots doux, des mots crus, des rendez-vous. J'oublie mon passé, j'oublie mon avenir imaginé, j'oublie ce que je suis et ce que je voudrais être. J'oublie son présent, j'oublie l'autre femme qu'il y a dedans. J'oublie tout, m'installe dans le carrousel et il tourne, il tourne. Le temps déroule son ruban à une vitesse folle et je tourbillonne avec lui comme si j'y étais enroulée, avec parfois un brin de panique à l'idée du moment où il n'y aura plus de ruban et où je serai projetée dans le vide, encore tourbillonnante.

Les rendez-vous se multiplient, les confidences, quelque chose comme de l'affection. Il est étrange de recommencer à se raconter. Je n'avais envisagé que la fatigue, la douleur que ne soient pas entendus les mots tus. J'avais oublié la fascination de la nouveauté. Dire ma mère mon champ mon ombrelle ma maison comme une cabane à oiseaux. Rire de la même blague et s'en émerveiller. Guetter les avions de papier qui glissent par ma fenêtre. Recommencer à me contempler dans le miroir avec certitude. Avec incertitude. Recommencer à avoir des pensées qui font sourire, qui font rougir.

Lorsqu'il me dit *je pense que je t'aime, je pense que je vais quitter ma femme*, je ne me demande pas si moi aussi *je pense que*. Moi qui pense toujours à tout, qui imagine tout, je suis soudain convaincue qu'il y a des moments où les choses arrivent et où il ne faut plus y penser. Où il faut les laisser arriver.

Alors que je suis dans ses bras, le grand galop se remet en branle. J'imagine maintenant nos vies s'entortiller et je souris, je n'ai pas peur. Presque pas.

. . . .

Rire de la même blague et s'en émerveiller. Guetter les avions de papier qui glissent par ma fenêtre. Recommencer à tournoyer devant le miroir avec certitude. Avec incertitude. Recommencer à avoir des pensées qui font sourire, qui font rougir.

Je ne l'aime pas, pourtant. J'ignore si c'est pour m'en convaincre que je me le répète, mais je n'en arrive pas moins à la conclusion que je ne l'aime pas. Ce que j'aime, ce sont ses mains, des mains sans habitudes sur mon corps, traçant un sentier neuf de mes bras à mes seins, de mes mollets à mes reins.

C'est lorsque malgré tout, malgré moi, je sens monter comme la lave mon envie de dire *je t'aime* que je sais qu'il faut que je ressorte au plus vite par cette porte qui a été entrouverte et que je la referme d'un coup sec qui fait *bang*. J'en ai brusquement assez des manèges et des étourdissements, j'ai envie d'un bras solide autour de mes épaules et de l'autre qui, en pleine lumière et devant tous, me tend une barbe à papa. Aussi je secoue mes mains auxquelles le pâtissier nouait déjà les siennes dans le sommeil, je me lève, je me rhabille et, sans un regard derrière, je sors et je referme la porte d'un coup sec qui fait *bang*. J'ai quand même le temps de penser *c'est fou ce que ça s'entortille vite, les vies.*

En défaisant lentement mon chemin jusque chez moi, en défaisant lentement les idées que j'avais malgré tout fabriquées, malgré moi, je me console en pensant que nous ne sommes pas tombés amoureux. Ou que nous ne nous sommes pas laissés tomber amoureux. C'est ce que je préfère croire. Il est infiniment plus doux de penser que nous nous en sommes empêchés.

. . . .

Le temps déroule son ruban à une vitesse folle et je tourbillonne avec lui, assise encore dans le carrousel je précipite mon imagination dans chaque porte entrouverte, dans chaque fenêtre, les affiches, les passants.

Puis dans cet homme avec qui je ris des mêmes blagues dans la salle de cinéma et qui m'offre un popcorn lorsque nous nous croisons à la sortie.

— C'est avant la projection qu'on achète du popcorn, non ?

— Allons voir un autre film, dans ce cas !

Et nous y allons, et nous rions, et les semaines qui suivent égrènent entre nous trop de ressemblances pour que la flamme s'éteigne, n'est-ce pas ? Elle continue de scintiller dans les nuits de plus en plus nombreuses où notre sommeil s'arrime.

Je redeviens une adolescente, les années et les amants n'y ont pratiquement rien changé, il appelle et mon cœur bondit, il n'appelle pas et mon cœur s'avachit. Je voudrais gommer tous mes défauts, ne présenter aucune faille, même les marques laissées par mes bas à mes chevilles m'horripilent, pourvu qu'elles ne l'agacent pas ! Je me glisse dans ses draps, dans de petits malheurs qui chez moi maîtrisent l'art de devenir grands. Tant d'années à penser que le temps me façonnait et puis non, même pas, en plus de recommencer à imaginer, je devrai aussi recommencer à me dompter, à dompter les furies de mon esprit qui, l'écume à la bouche, veulent invariablement repartir pour une grande galopade.

J'ai beau tenter d'avancer dans cette nouvelle histoire sur la pointe des pieds, de ne pas m'y précipiter comme dans un autre ravin, c'est plus fort que moi et je déboule, comme attirée par la gravité, juchée bien haut sur mes grands chevaux. Je n'ai jamais su monter tranquillement les petits poneys. Chaque soir où je rentre chez moi, je ne peux m'empêcher de l'imaginer assis sur mon balcon à m'attendre en taquinant le Petit Vau, je tourne le coin de la rue sans plus lever les yeux, comme pour me faire croire que je n'espère rien, mais j'espère, maudit, à mon corps défendant j'espère et il n'y est jamais.

C'est fou, cette urgence. J'effeuille le calendrier sur lequel j'ai pris soin de noter chaque rendez-vous, chaque avancée sur le fil de fer. Et je constate que tout ce temps, tout ce temps depuis notre première rencontre, tout ce temps passé à me fabriquer une histoire d'amour, tout ce temps à trouver que cette histoire d'amour n'arrivait pas assez vite, tout ce temps est si peu! À force de le gonfler de toutes mes élucubrations, se dilate-t-il davantage pour moi qu'il ne le fait en réalité? Peut-être est-ce encourageant. Peut-être que ça veut dire que l'attente que je trouve trop longue ne l'est pas encore assez. Peut-être, surtout, que je souhaite ardemment trouver celui avec qui je pourrai arrêter de tourbillonner...

Et puis voilà qu'au lieu de lui, c'est une lettre que je trouve un jour devant ma porte. Il m'y écrit son envie de liberté, de silence, d'évanescence. Son envie de s'allonger sur le béton brûlant et de s'évaporer comme les gouttes d'eau. Ses mots pénètrent mon cerveau mais rebondissent sur les parois, je suis une fille de racines qui s'enfoncent toujours plus profondément dans la terre meuble, et tant pis si elles seront un jour arrachées. Une fille du grand ciel gris-bleu-noir vers lequel s'élancer, et peu importe s'il y a une retombée. Je ne peux pas nier mes yeux toujours levés à envier les hirondelles et les cerfs-volants, mes mains qui creusent et creusent les sols à ma portée, je ne peux pas faire semblant. Je déteste profondément le plancher des vaches, la surface. Celle où s'évaporent les gouttes d'eau.

J'ai un moment la folie d'espérer qu'il m'écrira d'autres mots, des comme les miens, et que nous pourrons enfin nous comprendre. Je l'attends et c'est pure folie, je l'attends comme s'il m'avait demandé de l'attendre. Mais enfin il me dit *ne m'appelle plus, ne m'invite plus, ça ne peut pas marcher, je suis désolé.* Oui, moi aussi je suis désolée, comme lorsqu'on pense à la désolation d'un champ de bataille, une immense plaine où je gis, piétinée par mes propres sabots.

Aux Aimés, je dirai qu'il m'a fissuré le cœur. Il serait trop tôt trop vite trop exagéré pour parler de cœur brisé. De la même façon qu'il avait été trop tôt trop vite trop exagéré pour parler d'amour. Mais de quoi s'agissait-il donc, alors? Il n'y avait pas de mot pour dire ce fil tendu au-dessus du précipice, tendu entre les premières rencontres et les autres mots exagérés. Et maintenant, voilà, ce n'était pas plus grave, ça m'était arrivé des centaines de fois, je venais simplement de m'écraser dans le matelas bleu.

— Mais qu'est-ce que tu cherches? me demande Phil.

Comme si c'était parce que je cherchais mal que je ne trouvais pas. Comme s'il suffisait d'énumérer les yeux bruns, le sens de l'humour et le goût de la bossa-nova pour que l'équation trouve résolution. Mais je suis plus souvent optimiste que cynique, aussi je réponds:

— Quelqu'un pour qui je serai une révélation. Quelqu'un qui me connaisse parfaitement et qui pense quand même à moi avec émerveillement.

Attrape ton ombrelle et remonte.

Quand je tomberai dans le ciel

Depuis toujours, mon imagination me précède, m'entraîne avec elle jusqu'à ce que la réalité tire sur la laisse et me ramène au pied. Comme une bête mal élevée mon esprit repart aussitôt au galop jusqu'à ce qu'on le passe au lasso.

Maintenant que le temps devant est court et les possibilités, écourtées, c'est plus souvent de ma mort que je rêve. Il m'arrive de me rabrouer, *si peu de temps et le perdre à penser*, mais c'est plus fort que moi, invariablement j'ai été ballotée par ce ressac et je ne sais vivre sans. Les jours s'effilochent tandis que je plonge mes mains froissées dans mon passé et les souvenirs du fond de ma garde-robe, je les traîne dans un carré de lumière sur le plancher et je les observe sans jamais me lasser. Se rappeler, je l'ai découvert il y a longtemps, n'est après tout qu'une autre façon de rêver.

Je ne sais plus départager mes fantasmes de mes souvenirs, je les ai tricotés en une longue écharpe que j'enroule autour de mon cou pour me tenir chaud, malgré tout j'ai souvent froid. J'ai la peau sèche et les os cassants, la nuit j'entends de légers crépitements, c'est le temps qui marche sur moi comme sur un tapis de feuilles mortes. Les infirmières, bien sûr, n'entendent rien. Bientôt c'est le craquement de la neige que j'entendrai et ensuite plus rien, car mes oreilles mes yeux mes narines ma bouche mon corps se seront fermés comme un coffre au trésor après le pillage des pirates.

Je ne reconnais rien autour de moi et ce n'est pas la faute d'une maladie qui grignoterait ma mémoire tel un fruit délicieux. C'est simplement que le monde et le temps vont trop vite et que de chaque chose je me souviens comme elle était le jour d'avant, ou l'année, ou la décennie, et tout se superpose en couches qui brouillent ma vue comme si j'oubliais de mettre mes lunettes. Mes doigts ne reconnaissent plus cette peau douce et molle qui pend à mes bras qui, hier encore, étaient fermes et bronzés, ni ce visage dont les contours s'estompent comme du fusain, peut-être justement parce que je l'ai trop caressé en tentant de le reconnaître? Ou peut-être est-ce une affliction à laquelle nul ne peut se soustraire, qui vient vers la fin coucher un voile sur nos vies pour nous préparer en douceur à la grande noirceur. Peu m'importe, pourvu qu'on ne m'oblige pas à prendre des médicaments.

Je ne veux rien qui m'engourdisse et me dépouille de ma longue écharpe de souvenirs, la seule chose qui m'appartienne et me fuie tout à la fois. Je veux pouvoir partir en serrant les bras autour de ces petits objets qui portent les traces de mon existence et qui disparaîtront avec moi, mon ombrelle de dentelle, un morceau de casse-tête, une plume de paon de maman et une autre du Petit Vau. Je sais bien qu'on ne peut retenir le temps, qui passe file court coule entre nos doigts, ni ceux sur qui mes bras se refermaient si parfaitement. Seule ma mémoire m'appartient et elle aussi a brûlé et s'éteint, même si je souffle de toutes mes forces sur les braises pour rallumer une dernière fois les sourires de ceux que j'ai aimés.

J'ai eu la chance inouïe de vivre le grand amour et plus d'une fois, chacune d'elles défrichant une nouvelle parcelle de mon cœur puisqu'*on est tant de choses*, je ne me rappelle plus qui m'a dit ça mais ça m'a toujours encouragée. Avec le passage des années, l'amertume des histoires qui n'ont pas duré a disparu et je peux les contempler en buvant mon café matinal, je tire grande satisfaction de cette vie si pleine de tout qui a été la mienne, de cette vie jamais lisse comme un lac. J'ai ensemencé plusieurs fois la terre après que les champs avaient brûlé, j'ai hiberné et me suis réveillée dans les bourgeons, et quand il

. . . .

— Qu'est-ce qui se passe? Quoi? J'ai dû m'assoupir en regardant mon album. Oui, c'est moi qui ai pris les photos qui sont accrochées au mur, bien sûr que vous pouvez les regarder, et les albums qui sont rangés dans la bibliothèque aussi.

Heureusement pour moi, mademoiselle, j'ai compris avant qu'il ne soit trop tard qu'il me fallait rêver des rêves qui ne tenaient qu'entre mes seules mains, c'est pour ça que j'ai commencé à faire de la photographie. Avec les photos, je pouvais m'amuser à fixer les instants, à créer des choses qui durent, que rien ni personne ne pourrait m'enlever.

Chaque jour j'ai photographié ce qui m'entourait, les traces d'une biche dans la boue, ma main rougie par l'eau de vaisselle brûlante, un concert aux éclairages psychédéliques, les Aimés qui s'esclaffaient autour d'une table. Les Aimés, oui. Ce sont eux, là, ils étaient beaux, n'est-ce pas ? J'étais jolie, moi aussi. Vous ne le croiriez peut-être pas à me voir aujourd'hui, mais il arrivait que des hommes m'interceptent dans les parcs pour m'offrir des fleurs ou des compliments. Ils ont presque tous disparu à présent, les Aimés, mais, voyez, entre ces pages ils vivront toujours et oh ! comme j'espère que personne ne mettra mes albums à la poubelle ! Vous ne les prendriez pas, vous, mademoiselle ? Bien sûr, je comprends...

Oui, j'ai fait quelques expositions, la première dans un petit café, puis il y a eu de la demande, j'étais tellement fière. Vous savez qu'il y a probablement aujourd'hui encore des gens dont les murs sont ornés de l'une de mes photos, n'est-ce pas extraordinaire ? Oui, vous avez raison, c'est un petit fragment d'immortalité et ce n'est pas rien, non, ce n'est pas rien.

Ici c'est Phil et là, Flore, ils étaient frère et sœur et savaient apprécier la bonne odeur du papier. J'ai travaillé avec eux pendant des années au bureau de poste et nous avons monté un projet dont vous avez peut-être entendu parler, les Quatrepé ? Nous avons pourtant eu notre heure de gloire et des articles dans les journaux, eh oui ! C'était une collaboration formidable, Phil écrivait des poèmes sur des feuilles blanches roses vertes bleues jaunes, Flore les pliait de ses petits doigts délicats et, lorsqu'elles s'envolaient par la fenêtre, je les suivais pendant des kilomètres pour les photographier, pour croquer surtout les sourires de ceux sur qui ces poétiques pigeons de papier venaient se poser. À une époque, j'ai beaucoup voyagé et, avec mes photos, j'ai tenté à ma façon d'enseigner les saisons.

Oui, j'ai passé plusieurs années à l'école de cirque quand j'étais adolescente, non, je n'étais pas funambule, j'étais fildefériste, oh, il s'agit de marcher sur un fil que l'on ne suspend pas au-delà de trois mètres du sol. J'ai réalisé la série *Autoportraits sur fil* pour me réconcilier avec mon rêve brisé. Si ça a fonctionné ? La plupart du temps, mais pas quand je me regardais dans le miroir et que je croisais le regard de celle que j'étais à seize ans.

Vous n'êtes donc toujours que vous devant vous ? Je ne saurais vous dire si vous êtes chanceuse ou malchanceuse. Mon reflet et moi avons échangé bien des clins d'œil, des coups et des claques, et je vous assure que je l'ai souvent aperçue, la petite fille qui imaginait la maison de ses rêves et l'Homme de sa vie, l'adolescente qui rêvait de se percher sur un fil tel un bel oiseau blanc, la jeune femme qui souhaitait se couler dans sa vie d'adulte comme dans

C'est ça, à la prochaine.

. . . .

Je me suis réveillée dans l'obscurité et j'ai mis longtemps à me rappeler où j'étais, je ne reconnaissais pas ma maison comme une cabane à oiseaux, ni ma maison blanche, ni aucune des maisons où j'ai semé des souvenirs heureux. Ici il n'y a rien qui vaille la peine de se rappeler, c'est probablement pour ça qu'à chaque réveil j'oublie, je préfère garder de la place dans ma mémoire pour ce qui le mérite.

J'ai allumé la petite lampe posée sur la petite table de chevet à mes côtés et j'ai contemplé ma chambre, petite elle aussi, et mon existence. Je les ai contemplées avec un mélange d'indulgence et d'exaspération, tant de bruit et de fureur, tant de rêves qui se sont entrechoqués dans ma cervelle en perpétuelle ébullition, et c'était ça, c'était tout. Une petite chambre et une petite existence, mais qui sont les miennes.

Il y a des moments où j'ai imaginé que la vie plaçait devant moi une enfilade de portes avant de s'installer tranquillement dans un siège de velours rouge avec un sac de popcorn, attendant de voir laquelle j'ouvrirais. Mais j'ai maintenant l'impression qu'il y a toujours eu le même nombre de portes, invariablement, et que la vie n'est pas là à nous regarder, elle a autre chose à faire, la vie, et personne souvent ne nous regarde.

C'est probablement pour ça que j'ai commencé à faire de la photo, pour qu'elle dure, ma vie, figée sur le papier, et que je puisse la contempler sans relâche à défaut que le fassent les autres, les foules, la postérité. À mon âge on ne se raconte plus de mensonges ou, au contraire, on ne se raconte que ça, mais c'est rare, les entre-deux. Je me suis lancée dans la photo comme dans tout le reste, pour faire bruire mon existence, qu'elle crépite derrière les flashes puisqu'elle ne le faisait pas devant. Tous mes désirs, le funambulisme, les aventures flamboyantes, le grand amour, une enfant, n'auront-ils pas été traversés de la même tension vers l'extraordinaire, du même refus de la banalité?

Je dois bien avoir été heureuse, oui, heureuse, même si, lorsque mon reflet dans le miroir me demande *et si c'était à refaire, referais-tu pareil?*, je lui réponds souvent *je ne sais pas, je ne pense pas*. J'aimerais parfois pouvoir revenir au début, c'est vrai, tourner à droite partout où j'ai tourné à gauche. Je pose un regard envieux sur presque tout le monde et je soupçonne que, depuis le début, je rêve de travers. Ma faute aura-t-elle été d'avoir eu trop d'imagination pour ce que la vie avait à offrir, ou pas assez pour croire que ce qui m'était imparti était à la hauteur de toutes mes espérances ?

Peut-être est-il encore temps de fabriquer un héritage de beauté, de piger dans mes innombrables boîtes et albums pour y choisir mes plus belles photos et en faire des collages heureux de ma vie heureuse. Brûler tout le reste. Même dans ma mémoire je pourrais orchestrer un gigantesque autodafé et ne garder que

. . . .

Où est-ce que je suis, donc ? Qui est-ce que je suis, déjà ? Ah, c'est toi ça, ma chambre, et c'est toi ça, mon reflet, tu te déclines en plusieurs paires d'yeux qui clignent pour s'habituer à la lumière. Ne vous inquiétez pas, je vous ai toutes reconnues. Je vous reconnais davantage que cette vieille femme qui se tient à vos côtés et qui lève le bras quand je lève le bras.

Vous êtes fâchées contre moi ? C'est comique. Il me semble que c'est moi qui aurais le droit d'être fâchée contre vous, c'est vous toutes qui avez fait de moi ce que je suis aujourd'hui. Mais je ne suis pas en colère, moi, avec l'âge on pardonne d'abord à sa mère puis à soi.

Maman ne s'est jamais doutée que j'avais quelque chose à lui pardonner, sauf peut-être quand je lui ai proposé de m'aider à entreprendre un élevage de tourterelles. Dès lors il n'y avait plus eu de place entre nous pour les corneilles, elle les laissait chez elle quand elle venait me visiter, sans quoi mon élevage les aurait attaquées, et quand c'est moi qui la visitais, je savais alors imiter les roucoulements à la perfection et les corneilles allaient se cacher dans le feuillage des arbres. Maman et moi avions construit la volière et l'avions peinte en vert pomme, c'est avec elle que j'avais choisi les premiers oiseaux et que je les avais soignés quand ils étaient malades.

Je lui avais pardonné ses longues jupes noires, mais j'avais surtout admiré les plumes de paon dont elle décorait ses cheveux, et alors que j'avais tant voulu jadis ne pas lui ressembler, je m'étais moi aussi mise à m'en parer. Et c'est quand nous nous étions tenues côte à côte devant un miroir et qu'en face de moi je vous avais vus, mes reflets, mais qu'à mes yeux devant ma mère ne se tenait que ma mère, que j'avais réalisé que je ne connaissais d'elle que ce qu'elle était devant moi.

Qui était-elle avant moi, sans moi? À quoi rêvait-elle lorsqu'elle avait quinze ans, trente? Quelle fille avait-elle été, quelle amie, quelle amoureuse? Si je connaissais si peu les autres visages de ma propre mère, c'est que moi aussi on me connaissait bien peu, tout occupés que nous sommes chaque jour de nos vies à exister, à nous imaginer une existence. Ma mère et moi, chacune à la fenêtre de sa tour d'ivoire, à agiter un mouchoir en se criant des mots d'amour, les meilleurs jours.

Je vous observe, cachés dans le miroir comme des lapins et des foulards de prestidigitateur, et je me demande comment j'ai fait pour vous porter toute ma vie durant sans que ça déborde de partout, peut-être que parfois ça a débordé, c'est vrai. Bien souvent je me suis rafistolée avec du papier collant et du gros fil, je ne sais pas si cela m'a rendue plus fragile ou plus solide. Parfois je me dis qu'il suffirait que je tire sur un petit bout qui dépasse pour que je me défasse comme un vieux tricot, comme un bricolage de macaronis à la colle trop sèche, mais j'arrive à la fin de la parade et je marche encore comme quelqu'un d'entier et peut-être plus encore. Deux trois quatre entièretés, mais cela ne fait pas de moi une femme plus mémorable. Comment fait-on pour mourir en ne laissant derrière soi rien de spécial, aucune trace? Avoir voulu si fort être quelqu'un, et n'être personne d'autre que soi.

Parce que la vie et la mort, les miennes, peuvent

. . . .

À l'heure de ma mort, ils seront des dizaines à former un long cortège qui traversera la ville, avec en tête de file les enfants que j'ai eus et ceux que je n'ai pas eus, puis les Hommes de ma vie et les Aimés, et ils verseront tant de larmes que les suivront de près des soubrettes armées de serpillières. Perchée sur le dos d'un éléphant décoré comme pour les plus flamboyantes fêtes sri lan-kaises, je saluerai d'une main et lancerai des baisers de l'autre, peut-être même des dragées chocolatées que les enfants mangeront et que les adultes conserveront en souvenir de moi. On m'escortera ainsi jusqu'à un immense chapiteau que l'on aura dressé sur la grand-place et, en descendant de mon éléphant, je signerai d'une plume élégante la dernière page de mon autobio-graphie, qui sera envoyée sous presse dès le lendemain. Après quelques instants seule dans ma loge et un sou-rire adressé à mes reflets dans le miroir comme à des amies, j'entrerai en piste telle une ballerine toute de blanc vêtue avec mes pointes, mes collants, mon maillot et mon tutu. Sous des applaudissements qui feront trembler le sol comme les sabots d'un troupeau de chevaux, je grimperai jusqu'en haut du mât et, saluant une dernière fois, tenant mon ombrelle de dentelle à bout de bras pour garder l'équilibre, je m'avancerai lentement dans un silence devenu complet. Arrivée au centre du chapiteau, j'extirperai d'un pli de mon tutu une paire de ciseaux.

Quand je couperai le fil et tomberai dans le ciel, je sais que des nuées d'hirondelles me cueilleront en plein vol et, allongée sur leurs ailes, je ferai le tour de la Terre et de ma mémoire. Les pays et les visages défileront devant mes yeux et je m'endormirai dans la douceur des plumes et de mes plus beaux souvenirs.

Parce que la mort ne peut pas être banale. Ne l'est ni ne le sera.

Quelque chose qui dure

Les saisons de la vie après Louis avaient filé, ponctuées par les tours de manège, et malgré tout cela m'avait semblé long, interminable par moments, mais ma maison toute blanche s'était peu à peu parée de couleurs et de jours de joie. J'avais accroché des cadres où scintillaient les sourires des Aimés, j'avais planté des fleurs et je les avais regardées faner, au printemps suivant j'en avais planté d'autres, la musique avait retrouvé sa légèreté et je m'étais même surprise à chanter, puis ça ne m'avait plus surprise.

Les nouvelles habitudes s'étaient entrelacées à mon quotidien, mais la vérité, c'est que je n'attendais que de les détricoter avec quelqu'un d'autre.

Je n'avouais cela à Phil et Flore qu'après six verres, parfois cinq si j'étais fatiguée. C'était si peu moderne, si antiféministe, j'avais essayé de toutes mes forces de me draper des charmes du carpe diem, de remplir ma vie d'activités, de nouveauté, de beauté, de l'impression qu'elle était pleine et valait la peine d'être vécue. Cependant, dans l'obscurité de ma chambre et l'étendue de plus en plus vaste de mon lit malgré le Petit Vau qui y dormait encore, je ne pouvais plus rien faire croire à personne et encore moins à moi. La vérité triste et terne, c'est que le célibat était pour moi une sentence et que j'attendais impatiemment la fin de la peine.

Je m'étais perchée au fil tendu des rencontres amoureuses à bien des reprises et j'avais dégringolé autant de fois, je restais optimiste, cynique parfois lorsque c'est ce qui soulageait ou sauvait la face. Néanmoins, je sentais le plus souvent une grande lassitude m'envahir quand mon imagination m'emmenait en des pâturages où personne ne voulait galoper avec moi. Les mois passaient et me donnaient l'impression de comètes qui fendaient bruyamment le ciel mais ne laisseraient pourtant aucune trace dans les almanachs.

Ainsi, quand j'avais rencontré l'Homme de ma vie, je n'aurais pas su dire combien de temps s'était écoulé depuis ma vie avec Louis. Les longues heures qui s'étaient laborieusement égrenées au fil des semaines, des mois, des années de solitude avaient soudainement été balayées par ce vent fou qui me faisait carillonner.

Tout de notre rencontre deviendrait mythique pour moi, chaque parole chaque geste chaque regard. C'était une soirée d'anniversaire, et quand j'avais dû interrompre la conversation pour aller faire pipi, j'avais pris un moment pour échanger des clins d'œil fébriles avec mon reflet dans le miroir de la salle de bain, lui non plus n'en revenait pas. Nous nous étions pincé le gras du bras et ne nous étions pas réveillés, il m'avait donc fallu trotter gaiement pour rejoindre celui qui m'avait accueillie avec un sourire et un gin-tonic.

En fin de soirée, nous nous étions retrouvés face à face sur le trottoir et j'avais essayé de me convaincre que je n'attendais de lui qu'une invitation à nous revoir. Quand il avait plongé ses yeux dans les miens puis sa langue dans ma bouche, la bête qui sommeillait au fond de mon ventre depuis trop longtemps s'était toutefois mise à rugir et à trépigner, à me marteler les côtes et les tempes, mes pensées avaient tressauté dans mon crâne comme un plein tamis de pépites puis s'étaient mises à bouillir pour ne laisser que le silence et un distillat d'or pur.

J'allais toujours m'étonner par la suite que personne n'ait jailli des buissons pour nous applaudir. Mais c'était bel et bien comme s'il y avait eu des applaudissements. Et des pétards à mèche. Et des crécelles. Et un *barbershop quartet*. Nous nous embrassions et c'était la fête dans mon cœur, dans mon corps, dans la maison tout près, partout.

. . . .

Nous nous embrassions et c'était la fête dans mon cœur, dans mon corps, dans la maison tout près, partout. J'aurais voulu imaginer autre chose, un plus beau début que je n'aurais pas pu, une censure plus forte que moi se serait dressée dans mon esprit pour me dire *franchement, t'exagères*. Mais c'était la réalité cette fois qui exagérait et me charriait de l'extraordinaire, de l'inimaginable ou presque.

Comme de raison, j'en avais vite déduit que c'était l'Homme de ma vie. L'HOMME DE MA VIE, comme on dit LE CHAMP ou LE PÈRE NOËL pour mettre au clair qu'il s'agit de quelque chose d'aussi unique qu'irremplaçable, d'aussi vrai que toutes les choses vraies, et c'est tout, et c'est ça.

J'allais raconter par la suite aux Aimés que j'avais eu le coup de foudre, parce que c'est ainsi que l'on décrit communément l'amour qui nous frappe tel un éclair, un fracas commandé par quelque doigt divin. Mais, dans le secret de mon cœur, je n'aimais pas trop la brutalité de l'analogie, sa fatalité, et je préférais comparer notre rencontre à un mouvement tectonique. Un phénomène naturel, inévitable. Nos corps qui, patiemment, dans une dérive orchestrée par une force de la nature à l'œuvre en nous comme autour depuis des années, s'étaient enfin trouvés.

Dans les jours qui avaient suivi ce baiser, j'avais souvent été terrifiée par l'ampleur de mon engouement, par ces trépignements qui résonnaient dans ma tête et tout le reste et donnaient à ma démarche une allure sautillante d'adolescente. Je me méfiais de moi. Et si j'avais tout magnifié? Et si, dans mon désir de détricoter ma solitude pour tisser une vie à deux, j'avais mis des œillères afin que rien ne me détourne de l'objectif de ma course?

Puis je secouais la tête en riant, il ne fallait pas brandir d'épouvantails ni laisser voler les corneilles, je ne laisserais pas l'automne qui commençait étendre sa mélancolie sur moi comme sur les champs nus après les labours. Ma saison à moi se parerait des couleurs les plus flamboyantes des érables, et les cacardements des outardes me feraient rêver de promenades dans l'air piquant, de citrouilles décorées et de croustade aux pommes. J'étais prête pour la joie et je croisais les doigts.

Nous avions tout à nous raconter, l'Homme de ma vie et moi, tout à apprendre. Mais avant même que déferle ce flot de mots, dès le premier vrai rendez-vous, j'avais simplement eu envie qu'il me dise *je t'aime*.

— Je t'aime.

Comme ça, tout à coup. Je n'avais eu qu'à y penser et les mots avaient franchi ses lèvres comme s'ils attendaient un signal, tapis juste là, entre ses dents et sa langue.

Cet amour-là serait fulgurant d'évidences vite admises.

. . . .

Nous avions tout à nous raconter, l'Homme de ma vie et moi, tout à apprendre. Mais avant même que déferle ce flot de mots, dès le premier vrai rendez-vous, j'avais simplement eu envie qu'il me dise *je t'aime*.

— Je me demande souvent ce que les réalisateurs veulent exprimer avec leurs plans de caméra.

Qu'il m'appelle *mon amour*.

— Mais je n'ai pas assez de connaissances techniques en cinéma. En fait, j'ai peu de connaissances tout court.

Mon amour, viendrais-tu ici une minute?

— Ça m'arrive tout le temps de me buter à mes lacunes de cette façon-là, d'avoir l'impression que ce n'est pas faute d'intelligence que je ne peux pas apprécier une œuvre pleinement. Juste de culture.

Mon amour, mettrais-tu la nappe?

— C'est vraiment frustrant, tu ne trouves pas? Tout ce temps qu'on gaspille en futilités, dans le fond, alors qu'on pourrait être en train de lire, d'apprendre, de FAIRE plein de choses!

Mon amour mon amour mon amour mon amour mon amour mon amour, je roulais les mots sur ma langue comme un bonbon.

— Des fois, je tombe sur la bio d'un gars de mon âge, mais qui a déjà accompli tellement de choses! Et je me dis merde, moi, pendant ce temps-là, je regarde la télé.

Mon amour mon amour mon amour mon amour mon amour mon amour

— M'écoutes-tu?

— Bien sûr!

Bien sûr que je l'écoutais, mais il ne disait pas ce que j'avais envie d'entendre. Certaines évidences mettent du temps à se frayer un chemin entre les lianes, mais j'avais décidé d'ouvrir la voie sans le presser, évoluant dans la jungle comme une panthère.

Il avait passé plusieurs nuits à la maison, et ces nuits s'étaient rapprochées doucement d'une semaine à l'autre. Je m'étais exhortée à la patience et je m'y étais appliquée autant que possible. Mais, même si j'avais lutté, mon imagination s'était remise en marche, j'avais essayé de ne pas la laisser avancer plus loin que demain, qu'après-demain, elle ne m'avait pas écoutée, l'audacieuse. Elle avait galopé avant même que l'Homme de ma vie n'ait disparu de ma vue, le matin après qu'il avait passé la nuit avec moi pour la première fois.

Lorsqu'il avait été avalé par le tournant, ce jour-là, j'avais laissé tomber le rideau et m'étais retournée. Et l'avais aperçu. Au milieu du salon, perçant l'épaisse moquette blanche. Un crocus. Nous étions en octobre et avec lui pourtant était déjà arrivé le printemps.

Le reste avait déboulé si vite que j'avais à peine eu le temps de l'imaginer, mais tout était marqué du sceau de la certitude, aussi je m'étais assise dans les rapides comme si de rien n'était et j'avais laissé le courant m'emporter. Toutes les péripéties, tous les gestes avaient tracé un sentier vers lui, des cailloux blancs jusqu'à l'Homme de ma vie, *si j'étais devenue funambule, je ne t'aurais pas connu, si Louis ne m'avait pas quittée non plus.* Il avait aplani les angles et devant nous se déployaient de belles courbes, des voyages autour du monde, un anneau, un ventre rond.

Chaque matin du reste de ma vie, c'est une boule de joie que j'extirperais de ma poitrine et que je ferais étinceler pour nous deux tandis que nous boirions notre café, amoureux et heureux dans les paillettes de lumière jusqu'au dernier jour, jusqu'à ce que vienne le moment de tomber dans le ciel, sans frayeur et sans regret.

· · · · · · · ·

Nous étions en octobre et avec lui pourtant était déjà arrivé le printemps.

Le reste s'était enchaîné doucement, précautionneusement. Nous avions appris à nous connaître sous toutes nos coutures et par-delà toutes nos déchirures, et j'avais eu l'impression de me matérialiser enfin en cette étoffe que j'avais toujours voulu être, toute tissée avec la même laine bleue. En fouillant mes tiroirs et ma garde-robe, je n'y avais pas trouvé la moindre retaille d'amertume pour Louis et mes tours de manège. Tel que me l'avaient promis les Aimés, candides, et les Dés de la destinée, tout avait été pour le mieux.

L'Homme de ma vie et moi avions emménagé ensemble à la fin d'un hiver qui avait été blanc et doux. Le jour du déménagement, une belle neige fraîche était encore venue recouvrir le sol comme une meringue, mais bien vite nous nous étions retrouvés les deux pieds plantés dans la boue du sentier, nos mains enlacées, sans mitaines, les narines frétillantes pour attraper un effluve d'eau d'érable.

Chaque matin, c'est une boule de joie que j'avais extirpée de ma poitrine et que j'avais fait étinceler pour nous deux tandis que nous buvions notre café. L'avenir était mystérieux et se déroulait devant moi en une trajectoire sinueuse qui ne me permettait pas de voir loin, mais je n'avais plus peur des courbes dans les sentiers, de l'angle des murs, de l'arrière des arbres dans la forêt, autant de territoires à imaginer, à remplir d'histoires qui allaient se concrétiser.

J'en étais là quand la foudre s'est abattue. La vraie de vraie, celle qui déchire les arbres en deux, qui tue les bêtes dans les pâturages, qui brûle les champs. Quels étaient les risques qu'elle s'abatte encore, déjà, sur ma vie? L'inimaginable, l'inimaginé se produisait.

C'est à partir de ce jour-là que j'ai commencé à raconter notre histoire au plus-que-parfait, le temps de verbe idéal, quand on y pense, pour parler au passé de ce qui m'avait semblé plus grand que nature, plus beau que beau, plus vrai que toutes les choses vraies.

Voilà, il est parti. Je déambule dans chaque pièce de la maison pour apprivoiser l'absence de ses affiches sur les murs, de ses souliers près de la porte, de ses livres dans la bibliothèque, de sa brosse à dents dans le porte-brosses à dents. Dans les tiroirs, dans les armoires, la peine déborde de partout, j'en ai poussé sous le tapis et je la sens qui ondule sous mes pas.

Plus tôt ce matin, j'ai fixé ma mâchoire à l'aide d'attelles bricolées avec des bâtons de popsicle, elle ne cessait de tomber sur le plancher et avec elle mes bras, que j'ai rattachés à mon torse avec des tours de grosse ficelle. C'était l'Homme de ma vie! Comment était-ce possible qu'il me quitte? C'était l'Homme de ma vie, je ne peux m'empêcher de le répéter, de nouveau je suis devant un miroir de salle de bain à me pincer le gras du bras, dans l'espoir cette fois de me réveiller, cependant je ne me réveille pas et ça continue de tirer sur mes ficelles et sur mes bâtons de popsicle.

Je savais qu'on ne pouvait retenir le temps, qui passe file court coule entre nos doigts, toutefois je pensais pouvoir garder celui sur qui mes bras se refermaient si parfaitement. Mais rien ne m'appartient, et les champs que l'on cultive patiemment peuvent flamber en quelques instants sans que ce soit juste ni injuste. En contemplant les colonnes de fumée noire qui montent vers le ciel, je voudrais néanmoins avoir la foi pour pouvoir brandir mon poing vers quelque chose, quelqu'un.

Il faudra avoir le courage d'ensemencer de nouveau la terre. Il faudra avoir l'espoir du printemps même lorsque le gel s'empare des arbres et du sol et de toutes les racines. L'hiver encore, l'hiver déjà… Mais il y a ce mot magnifique en lequel je suis encore assez jeune pour placer ma confiance : recommencement. Ainsi je refuse de repasser une saison à saigner sur la neige et à lécher mes plaies. Je décide de barricader les portes, de calfeutrer les fenêtres et de me faire un nid de couvertures dans lequel je m'endormirai et avec moi ma douleur.

Patience. Il y aura encore de la beauté et de la joie pour moi. Je vais hiberner et me réveiller dans les bourgeons.

. . . .

Il faudrait avoir le courage d'ensemencer de nouveau la terre. Il faudrait avoir l'espoir du printemps même lorsque le gel s'empare des arbres et du sol et de toutes les racines. Mais je suis fatiguée, tellement fatiguée… J'en ai vu, j'en ai lu des vies autrement plus dramatiques que la mienne et pourtant j'ai eu la naïveté de penser que j'avais payé mon tribut au chagrin d'amour. Et voilà que la peine a trouvé une nouvelle façon de m'attaquer et je me sens encore plus démunie que lorsqu'elle avait le visage de Louis.

Ce qui m'encercle et me console a aussi changé, le Petit Vau n'est plus et les Aimés clignent des yeux et ouvrent la bouche d'une autre manière. En vieillissant il n'y a plus autant de place pour le chagrin, avant nous pouvions ne faire que ça, des soirs entiers, se raconter nos histoires, relire nos lettres, décortiquer le désastre jusqu'à avoir l'impression de le maîtriser. Maintenant il faut précautionneusement choisir à qui je m'adresse, et combien de temps – pas trop longtemps, parce que le désastre épuise, et on n'a plus l'énergie de nos vingt ans. Je dois développer le sens de la formule, raconter ma catastrophe en quelques phrases concises, précises.

Reste que le temps fait son œuvre, comme toujours, et je peux enlever mes ficelles et mes attelles sans craindre de perdre des parties de moi sur le plancher. Viens le jour où j'ai la force de me regarder en face dans le miroir pour mesurer l'étendue des dégâts, j'ai des rides au coin des yeux qui n'y étaient pas à l'époque où j'échangeais des clins d'œil avec mon reflet, et une fêlure dans le bleu de l'iris, comme si j'avais contemplé la tristesse de trop près, une fêlure par laquelle a filé la candeur. Malgré tout, je reconnais encore la petite fille qui imaginait l'Homme de sa vie, l'adolescente qui rêvait de se percher sur un fil tel un bel oiseau blanc, la jeune femme qui souhaitait se couler dans sa vie d'adulte comme dans un écrin soyeux, sans heurts. Je les vois me retourner mon regard et toutes ont les mains vides.

Ai-je donc si mal imaginé ma vie pour que mes rêves se fracassent ainsi sur le sol, sans même de matelas bleu pour amortir le choc? Combien de fois peut-on faire marche arrière, tirer la bride de son imagination jusqu'à ce qu'elle ait l'écume à la gueule puis lui éperonner les flancs vers une autre direction? Combien de fois avant qu'elle ne s'essouffle pour de bon? Jusqu'à quel âge peut-on commencer sa vie? Pas recommencer, *commencer*, puisque tout ce qui ne s'inscrit pas dans la durée ne peut certainement pas être autre chose que la prémisse, l'avant-propos, le prologue, la préface...

Je me tiens devant le miroir des heures durant, toutes se lassent et bâillent, il n'est pas question que je cède et m'endorme. Lorsqu'il ne reste plus que moi devant moi dans la lueur de l'aube, le regard que je me jette me transfigure. Mon reflet, malgré les cernes, les pattes d'oie et l'iris fêlé, me sourit. Je vais chercher mon appareil photo et je reviens me poster devant le miroir, ce sera mon premier autoportrait et je l'intitulerai *Rêver délicatement*. Mon reflet et moi nous donnons une petite tape de connivence. Parce que la vie, la mienne, sera peut-être banale, finalement. Mais jamais elle ne sera sans rêves.

Chaque jour désormais, je photographie ce qui m'entoure, les traces d'une biche dans la boue, ma main rougie par l'eau de vaisselle brûlante, un concert aux éclairages psychédéliques, les Aimés qui s'esclaffent autour d'une table. Avec les photos, je peux m'amuser à fixer les instants, à créer des choses qui durent, mes propres petits poèmes de papier que rien ni personne ne pourra m'enlever. Je me drape des charmes du carpe diem, je remplis ma vie d'activités, de nouveauté, de beauté, tout le monde y croit et surtout moi.

Une fois par semaine mais pas plus, je m'aventure à rêver. Délicatement. D'un gros album dans lequel je pourrais raconter l'histoire de ma vie à ma guise. De mes plus beaux portraits encadrés emballés déposés sous un sapin étincelant pour les Aimés. D'une exposition dans un petit café. Lentement, je m'efforce de m'imaginer une vie où la joie coulerait par mes yeux et ma bouche, irriguerait mes pieds et remonterait jusqu'à ma tête en un cycle autosuffisant. Et puis peut-être viendrait un homme, sans majuscule, un homme dans les mains duquel je ne déposerais pas tous mes espoirs et qui, malgré tout, ferait jaillir sur ma vie un surplus de lumière.

. . . .

Je me tiens devant le miroir des heures durant, toutes se lassent et bâillent, il n'est pas question que je cède et m'endorme. Lorsqu'il ne reste plus que moi devant moi dans la lueur de l'aube, le regard que je me jette me terrifie. Dans mes yeux, je lis cette pensée terrible, cette galopade plus forte que moi, qui me ressemble tellement, *après lui, le déluge; après lui, la grisaille.* Je ne me marierai jamais, n'aurai jamais d'enfant. Comment pourrai-je me contenter de celui qui ne sera pas l'Homme de ma vie, unique et irremplaçable, et c'est tout, et c'est ça ?

Les années se déversent soudain sur moi en même temps qu'un orage et je m'en imbibe comme une éponge, je deviens lourde d'eau, lourde de l'angoisse qui me guettera à chacun de mes anniversaires, que faire du temps qui passe quand celui qui vient est incertain ? Je suis inquiète de tout. Le ciel gronde et tonne et j'ai peine à croire que l'Homme de ma vie et moi sommes éclairés par la même foudre, que nous entendons les mêmes beding bedang et que pourtant le fil invisible qui nous reliait à chaque instant s'est rompu. Je n'aurais jamais pu l'imaginer : tout m'est arrivé mais rien n'a duré.

Certains jours je me consolerai à l'idée d'avoir eu la chance inouïe de vivre le grand amour, le reste du temps je me désolerai qu'il m'ait échappé. Et j'aurai beau me sauver moi-même, bourgeonner, danser la bossa-nova, trier le courrier, photographier, faire de mon mieux, ce ne sera jamais l'existence dont j'aurai rêvé.

La vie peut être banale, elle l'est et le sera. Je pensais qu'il suffirait de choisir les souvenirs, que, comme avec ma mère, je trouverais la quiétude en rapiéçant les meilleurs moments de ma vie et que cette courtepointe de beauté m'envelopperait de douceur et de bonheur jusqu'à ce que les étoiles s'éteignent devant mes yeux, jusqu'à ce que je tombe dans le ciel. Mais je n'ai jamais véritablement rêvé d'une courtepointe, aussi colorée soit-elle, je ne veux pas d'une vie rapiécée pour en récupérer la beauté comme l'on tissait dans l'ancien temps de jolies nattes avec de vieilles guenilles. Je voulais d'un long ruban de satin bleu qui se déroule sans s'interrompre jusqu'à ce que la bobine vide déboule en bas du monde. Mais même si je refais ce rêve de durée, ma mémoire ne me laisse que des retailles de ce qui s'est terminé.

Ma bouche pourra raconter mille histoires, mille souvenirs de mon enfance, de Louis, de l'Homme de ma vie, mais ce sera comme si je les avais appris par cœur, comme si je répétais la trame d'un roman que j'avais lu et relu jusqu'à le connaître sur le bout des doigts. Ce ne seront que des mots pour habiller la perte, des dentelles et des bijoux desquels parer les ruines.

Non. Non non. Non non non. C'est impossible. J'ai laissé mon esprit s'emballer, galoper trop vite trop loin. Rien de tout cela n'est vrai. Ça ne se peut pas. Non.

. . . .

C'est l'Homme de ma vie, quelqu'un d'aussi unique qu'irremplaçable, d'aussi vrai que toutes les choses vraies, et c'est tout, et c'est ça. L'avenir est mystérieux et se déroule devant moi en une trajectoire sinueuse qui ne me permet pas de voir loin, mais je n'ai plus peur des courbes dans les sentiers, de l'angle des murs, de l'arrière des arbres dans la forêt, autant de territoires à imaginer, à remplir d'histoires qui vont se concrétiser.

Ce qui piaffe autour de moi et dedans

Je suis amoureuse d'un garçon de ma classe et c'est comme dans les films, je le regarde et j'ai le souffle coupé et le cœur qui bat très vite et les jambes en coton, mais tout de même j'attrape presque toujours le ballon au ballon-chasseur, il ne faut pas charrier, je déteste les filles qui se pâment et deviennent quelqu'un d'autre quand elles sont amoureuses. Moi je reste moi-même mais comme en accéléré, parfois je trébuche parce que tout en moi se bouscule lorsqu'il est à mes côtés. Je ne sais pas s'il m'aime, mais tout le monde dit que oui et j'ai même son numéro de téléphone mais je ne l'ai jamais appelé, qu'est-ce que je lui dirais?

Il s'appelle Oli. L'autre nuit j'ai rêvé qu'un grand vent se levait, un vent de *Magicien d'Oz*, et il nous emportait, Oli et moi, on tournoyait dans les airs mais on ne se lâchait jamais la main alors c'est ensemble qu'on atterrissait dans une belle forêt. Les feuilles sur le sol amortissaient notre chute et on ne se faisait pas mal. On marchait ensuite pendant des heures et des heures, c'était difficile mais Oli me tenait toujours par la main alors ça allait, même que j'étais heureuse. Et puis on trouvait une vieille cabane abandonnée et on s'y réfugiait pour la nuit, à l'intérieur il y avait un petit lit et on s'y couchait ensemble, et puis Oli m'embrassait jusqu'à tard.

J'ai raconté tout ça à Lili, elle m'a dit *c'était un rêve* et je n'ai pas compris ce qu'elle voulait dire. Elle avait l'air de me trouver ridicule, mais c'est elle qui était ridicule. Bien sûr que c'était un rêve, j'avais même commencé mon histoire en disant *Lili, il faut que je te raconte mon rêve*. Elle a ajouté *les rêves, ça n'est pas la réalité, ça n'arrive pas*, et alors je me suis dit qu'il fallait que je change de meilleure amie.

Avant Lili c'était Joé mon meilleur ami, c'était quand j'étais petite et maintenant j'ai de la difficulté à tout me rappeler. Je me souviens qu'on était inséparables, mais il a déménagé alors on a été séparés, on ne peut pas être inséparables en toutes circonstances. J'aimerais retourner à cette époque si lointaine de mes cinq ans, il me semble que tout alors était simple, que mes chagrins ne duraient que quelques minutes, maintenant il leur arrive de durer une heure, c'est insupportable.

Maman, elle, a des chagrins qui durent des jours et des jours, des mois, je me demande si ça se peut ou si c'est elle qui a inventé cette intensité de la peine mais aussi de la joie. Moi si j'inventais quelque chose ce serait grandiose et gai, quand on vieillit on peut enfin choisir sa vie et je ne comprends pas qu'on choisisse le malheur. J'ai essayé d'apprivoiser les corneilles qui volettent parfois dans la maison, je voulais leur passer un grelot à la patte pour que peut-être le son tintinnabulant redonne des couleurs à maman. Mais je n'ai pas réussi à les attraper alors je suis allée avec Lili jouer au concours de roches, c'est-à-dire qu'il faut trouver la plus belle roche. Parfois aussi on joue aux potions, c'est-à-dire qu'on mélange toutes sortes de choses dans un vieux contenant de margarine, du gazon des biscuits de la mousse du Kool-Aid des graines pour les oiseaux, et ensuite on essaie de convaincre la petite sœur de Lili et ses amis de goûter. Quand ça fonctionne, on reste sérieuses sur le coup puis on court se cacher derrière la haie de cèdres pour rire comme des folles.

Les roches, les grelots, les potions, les rêves de grand vent, c'est ce qui me rend vivante, ce sont comme les petits grains dans les maracas et moi je suis le maracas, je m'agite pour faire bruire mon existence parce que sinon à quoi bon. Sinon c'est l'ennui, et s'ennuyer est une des pires choses au monde avec être malade et mourir, je ne comprends pas que maman n'ait pas encore compris ça à son âge.

Derrière l'école il y a un grand champ, en fait c'est une plaine qui commence derrière la clôture près des poteaux de ballon-poire, une plaine d'herbes folles, qui devient un boisé et ensuite une forêt, mais ça serait trop long de dire tout ça alors quand je sors en courant, je crie *je vais au champ*, et maman comprend. Maman comprend tout et elle ne m'interdit jamais d'aller jouer nulle part, contrairement à la maman de Lili qui refuse qu'elle traverse le boulevard. Dans le champ il y a un arbre tout tordu comme une grosse broussaille mais à ses branches il y a de petites fleurs mauves et je l'aime beaucoup. J'en ai rêvé une fois avant de le voir en vrai mais je ne l'ai pas dit à Lili. Quand je l'ai aperçu pour la première fois ça m'a fait un choc mais ensuite c'est devenu la preuve, même si je n'en avais pas besoin, que les rêves se réalisent tout le temps.

Avec Lili on s'invente des tas d'histoires et c'est fantastique d'avoir une amie comme elle qui partage mes jeux et m'aide à construire mes cabanes, c'est sûr qu'on sera des meilleures amies pour toute la vie, et nos maris seront des meilleurs amis ou des frères, et nos enfants deviendront des meilleurs amis à leur tour, alors on pourra continuer à se voir tous les jours et en plus on sera voisines. Les plus vieux amis de maman sont des amis de l'université et elle ne les voit presque jamais, je me demande ce qu'elle a fait de son enfance à ne pas se faire de vrais meilleurs amis, en plus de divorcer. Ma mère n'a rien qui dure depuis toujours, elle doit être très triste quand elle y pense. Moi ça ne m'arrivera pas, en attendant mon mari j'ai Lili et c'est un vrai soulagement.

Mon mari ce ne sera pas Oli, j'ai su qu'il en aimait une autre et ça m'a déchirée en deux, même que mine de rien je me suis tripoté les bras, les jambes, le ventre et la tête, quand Lili me l'a annoncé, pour vérifier si mon corps partait vraiment en morceaux ou si c'était juste à l'intérieur de moi que ça volait en éclats. En apparence j'étais intacte. Mais une fois rentrée à la maison, j'ai pleuré pleuré pleuré pendant au moins une demi-heure.

Le lendemain maman a voulu m'emmener au zoo mais je n'avais pas la tête à ça, elle s'est fâchée et a dit que je n'étais jamais contente, jamais d'accord, que je me plaignais toujours d'elle alors qu'en fait j'étais très chanceuse. C'est vrai que je suis chanceuse d'avoir une mère qui garde des paons dans un enclos pour toujours avoir sous la main des plumes avec lesquelles décorer ses cheveux, une mère qui chante l'opéra si haut et si bien que des bulles multicolores s'échappent de sa bouche. Mais c'est difficile de me rappeler ma chance lorsque la vie que je mène est si pénible et cruelle.

Oli c'est le plus beau de la classe alors de qui je pourrais tomber amoureuse maintenant sans que ce soit décevant? Il faudrait qu'il y ait un nouveau, ce serait parfait, un nouveau plus beau et plus vieux qu'Oli pour qu'il prenne son trou, peut-être un nouveau qui aurait redoublé une année ou qui arriverait d'un pays étranger. Ou peut-être que ce pourrait être Joé! Peut-être que ses parents pourraient décider de redéménager dans le quartier et qu'on redeviendrait des meilleurs amis! Des meilleurs amis gars-fille, c'est-à-dire que ce serait la première étape avant de tomber amoureux, comme ça arrive tout le temps dans les films et dans la vie aussi. Ah oui, ce serait parfait, toutes les filles seraient jalouses et Oli aussi.

Avec Lili un soir on sort le bottin et on cherche les noms d'hommes qui sont pareils à celui du papa de Joé, je m'en souviens bien. Il y en a sept, je prends le téléphone d'une main et mon courage de l'autre et je compose les numéros, je me dis que si je retrouve Joé et que je le convaincs de redevenir mon voisin, il pourra à son tour convaincre ses parents. Je me demande comment ça se fait que je n'y aie pas pensé avant, peut-être parce que je ne savais pas encore bien lire et maman dit que c'est en lisant qu'on devient intelligent. Mais les sept numéros ne sont pas bons alors tant pis, Joé ne reviendra pas dans ma vie, c'est-à-dire pas tout de suite parce que j'ai rêvé que nous étions grands et que c'est lui qui me retrouvait, il me disait qu'il m'avait toujours cherchée et il me demandait de l'épouser. Je ne perds donc rien pour attendre.

En attendant j'ai une grosse peine d'amour à cause d'Oli, je ne comprends pas pourquoi il ne m'aime pas. Je pensais que l'amour était la meilleure des choses mais en fait c'est la pire. Et tout à coup j'ai envie d'aller faire un gros câlin à maman parce que pendant une fraction de seconde et même si je ne suis pas très bonne en mathématiques, je réussis à multiplier la peine qui serre mon cœur par le nombre d'années qu'elle a passées avec papa avant qu'arrivent les corneilles. Et tout à coup j'ai envie d'aller faire un gros câlin à Lili et de lui demander de vieillir avec moi parce que le mariage on dirait que ce n'est pas le meilleur rêve à réaliser. Parce que ce chagrin qui ondule en moi comme une grande algue visqueuse n'est peut-être pas ce que je puisse ressentir de pire. Mais comment serait-ce possible? Qui deviendrait adulte dans ces conditions?

C'est probablement juste parce que je vis des émotions plus intenses que les autres, que je suis très mature pour mon âge. C'est maman qui l'a dit l'autre jour alors ce doit être vrai. Finies les tresses, il est temps que je commence à avoir l'air de ce que je suis vraiment. Le mieux serait que je change d'école alors je pourrais m'inventer un nouveau look sans que tout le monde s'en aperçoive et se moque en disant *pfff regarde-la qui se prend pour une autre* mais je ne serais pas une autre, juste une autre version de moi. Maman m'explique que je ne peux pas changer d'école comme ça alors je dénoue simplement mes tresses, ce sera toujours ça de pris. Peut-être que je pourrais me couper les cheveux très courts pour vraiment changer de tête en attendant de changer d'école, le secondaire est encore loin.

Le secondaire, ce sera le moment de tester mes versions et de déterminer celle qui fera de moi une femme heureuse, je pourrai non seulement choisir ma coupe de cheveux et mes vêtements mais aussi les qualités et les défauts que je polirai avec soin, mes goûts et mes dégoûts. Je pourrais autant devenir quelqu'un qui raffole de la musique pop, de la danse et de la crème glacée à la pistache que quelqu'un qui se passionne pour le dessin, les lilas et les films d'horreur. Ce sont deux moi qui se pourraient, tout se pourrait ou presque dans le fond, *on est tant de choses*, c'est l'amie de maman qui le lui a dit une fois pour la consoler, pour lui faire croire en un amour qui ne serait pas celui de papa mais qui viendrait défricher d'autres parcelles de son cœur. Je l'ai entendue et j'ai pensé que c'était vraiment encourageant comme idée, mais un peu épuisant aussi, on n'a donc jamais fini de choisir ce qu'on est?

Le plus souvent ces jours-ci, je m'imagine sur une grande scène illuminée par les projecteurs et je suis une chanteuse célèbre, à la fin de mes spectacles il y a des lancers de ballons et des canons à confettis et la foule est en délire. Sans mes tresses déjà j'ai l'air pas mal plus cool et je m'exerce le soir à hocher la tête en chantant pour faire virevolter ma chevelure autour de moi comme une créature vivante, je me demande si mes amies s'en rendraient compte si je déchirais mes jeans petit peu par petit peu.

Un après-midi à la récréation c'est plus fort que moi et je le dis à Lili, *moi plus tard je vais être chanteuse* et elle s'écrie *moi aussi!* avec plein de *i* à la fin, elle est tellement fébrile que ça attire l'attention des autres filles de la classe, qui veulent savoir ce qui se passe. Lili leur dit que plus tard on sera chanteuses, et elles aussi, c'est ce qu'elles veulent, elles deviennent surexcitées. Avant que je comprenne ce qui arrive nous sommes en train de nous choisir un nom de groupe et de répéter une chorégraphie. Pendant que je me fais aller la jambe à droite et le bras à gauche je me dis qu'il faudra vite me trouver un nouveau rêve et le garder pour moi toute seule, le coucher avec les autres dans mon cahier à spirales, c'est amusant de faire des chorégraphies pendant la récréation mais mon avenir à moi ne peut absolument pas être le même que celui de toutes les autres, quelle déception ce serait !

Un soir où je m'imagine une succession de vies comme si j'habillais et déshabillais une Barbie, je me demande soudain si Lili fait la même chose, et si on s'aimera dans chacune de nos versions. L'idée me chicote tellement que je décide d'en parler à maman, en fait je lui pose des questions sur sa meilleure amie quand elle avait mon âge. Elle me parle de sa voisine avec qui elle aimait sauter à la corde, une petite fille avec qui finalement elle n'avait plus rien eu en commun après les jeux de l'enfance. Je vois dans ses yeux qu'elle sait que je pense à Lili, à l'éventualité de la fin, maman parfois est comme une voyante. Ce que j'aime de Lili c'est son noyau, ce qui sera toujours au centre d'elle malgré les années et les pelures, voilà ce que je lui réponds. *Moi mon noyau a poussé quand j'avais quinze, seize ans, avant je n'étais qu'un tas de chair molle et sucrée*, c'est ce que maman rétorque avec un demi-sourire et je ne comprends pas trop ce qu'elle veut dire mais je m'en fous. De toute façon c'est décidé depuis longtemps que ma vie ne sera pas comme la sienne.

Avec Lili on décide d'écrire de longues lettres et de les envoyer à la mer, en fait on prévoit les lancer dans la rivière parce que la mer c'est trop loin, mais ça ne change rien puisque madame Nicole nous a expliqué que toutes les rivières se jetaient dans la mer. On prend notre plus belle écriture et de jolies feuilles de papier parfumé ornées de chats et on entreprend de raconter nos vies à ces interlocuteurs invisibles et lointains, on a regardé sur le globe terrestre et, selon toute vraisemblance, à cause de la gravité et des courants et tout, nos bouteilles devraient échouer sur la côte africaine. Au départ je ne sais pas trop à qui j'adresse ma lettre, à une potentielle amie ou à un potentiel amoureux, d'une phrase à l'autre j'hésite entre les confidences et la séduction. Puis je tranche et cesse de me censurer en décrétant qu'un bon amoureux devrait pouvoir tout accepter, tout comprendre, je déposerais mes secrets dans son oreille et ils feraient comme une petite poussière dorée qui tapisserait son pavillon. Il serait celui qui me connaît parfaitement et qui pense quand même à moi avec émerveillement. Je signe ma lettre avec une encre mauve qui scintille et je rêve d'un caravansérail même si je ne sais pas vraiment ce que c'est, mais c'est un mot qui fait rêver de choses belles et mystérieuses comme l'Afrique.

On se rend sur la petite plage de galets qui borde la rivière, là où l'eau est profonde et le courant, puissant. On invente une cérémonie parce qu'il faut toujours des cérémonies pour les choses importantes, c'est comme ça qu'on sait qu'elles le sont, et à la fin on lance nos bouteilles mais pas trop fort parce que ce serait bête qu'elles se cassent sur un des rochers qui percent la rivière. On les regarde s'éloigner dans le courant aussi longtemps qu'on peut puis on part main dans la main s'acheter des cornets et imaginer qui trouvera nos lettres et nous joindra à l'adresse ou au numéro de téléphone qu'on a notés.

Quand le téléphone sonne deux jours plus tard et que maman me le tend en disant *c'est pour toi*, je ne me doute pas un instant que c'est à cause de ma bouteille, l'Afrique c'est loin, quand même. Je ne me doute pas non plus que quelqu'un s'apprête à piétiner mon rêve en dépit de nos cérémonies et de nos sparages. Deux quelqu'un en fait, parce qu'ils sont deux garçons sur la ligne à se moquer de moi dès que je prends le combiné, à me lire les extraits les plus émouvants de ma lettre en pouffant de rire, dans leur bouche ma vie a soudain l'air ridicule et c'est ça le pire. Oli et Lili et Joé et maman et les corneilles et les versions de moi que j'envisage, tout devient une grosse blague et ils rient sans pouvoir s'arrêter. C'est vrai que j'ai utilisé des grands mots et que mon rêve de cabane dans la forêt était peut-être trop romantique, mais c'est moi quand même, ce sont les pelures autour de mon noyau, et s'il y a bien une chose qu'on doit respecter dans la vie c'est le noyau des gens.

Comme je ne dis rien et ne fais que pleurer en silence, les deux garçons finissent par se lasser, ils m'expliquent qu'ils ont trouvé ma bouteille en pêchant près du pont et ça aussi c'est un coup dur. Le pont est juste à côté, on le voit de la plage de galets d'où on a lancé nos bouteilles, il n'y a donc pas moyen de pousser nos rêves plus loin que ça? Je leur demande finalement de jeter ma lettre, de ne la montrer à personne, ils disent *peut-être* et raccrochent, heureusement qu'ils ne vont pas à la même école que moi, et de l'autre côté du pont personne ne me connaît.

Je décide de me coucher tôt ce soir sans avoir mangé le gâteau que maman a préparé exprès pour moi, elle a bien vu que ça n'allait pas mais elle m'a laissée tranquille, c'est-à-dire qu'elle ne m'a pas posé de questions sur le coup de téléphone mais elle m'a caressé doucement le dessus de la tête en disant *j'ai fait du gâteau au chocolat si jamais tu en as envie* et j'ai dit *non merci je pense que je vais aller me coucher* et elle a hoché la tête sans rien ajouter, c'est vraiment la meilleure mère.

Étendue sur mon lit, je songe à tous ces rêves qui me soulèvent et qui parfois me laissent ensuite tomber dans le ciel, tomber jusqu'au sol et ça fait mal. Je me demande s'il faudrait que j'apprenne à rêver autrement, que je contrôle mes rêves comme des ballons gonflés à l'hélium dont je tiendrais solidement les ficelles, mais en même temps à quoi ça sert des ballons gonflés à l'hélium si jamais aucun d'eux ne s'échappe? Ce sont toujours ceux-là les plus jolis, il me semble, ceux qui s'envolent même si on ne voulait pas qu'ils le fassent, même si on sait qu'on les a perdus, qu'ils vont éclater quelque part au loin et que ça fera de la pollution. Ce sont les seuls que l'on contemple longtemps lorsqu'ils montent dans le ciel et s'éloignent doucement.

Je ne sais plus trop où je m'en vais avec mon histoire de ballons, j'essaie de trouver des mots pour dire mon envie d'une vie pleine de couleurs et aussi pour dire la peur, la peur des corneilles de maman et la peur de la peine qu'Oli a mise dans mon cœur et la peur de perdre Lili et la peur de vouloir devenir chanteuse et d'être comme toutes les autres et la peur que personne ne veuille de mes secrets comme une poussière d'or dans son pavillon et la peur de ne jamais découvrir ce que c'est qu'un caravansérail. Mais en même temps c'est impossible d'avoir peur trop longtemps, c'est-à-dire que c'est évident, que la vie ne peut pas être banale, qu'elle ne l'est pas ni ne le sera, il y a trop de versions de moi qui se bousculent dans mon corps, trop de belles idées qui galopent dans mes songes.

Je ne sais pas encore comment nommer ce qui tortille au fond de mon ventre, ce qui gratte dans ma tête. Ce qui piaffe autour de moi et dedans en attendant que la vie arrive. J'ai vécu tellement de choses déjà, je pourrais écrire une autobiographie pour raconter mes neuf années de vie et ce serait palpitant. Et pourtant je le vois bien dans les films, les chansons, les romans que tout est à venir.

Et tout va m'arriver.

Remerciements

Merci à ceux qui ont posé un regard acéré mais bienveillant sur mes mots : Jean-Simon, inestimable soutien de la première heure ; Pierre, éditeur attentif et minutieux ; et Etienne, lecteur vif qui m'a offert de célébrer la venue au monde de ce roman au meilleur endroit que je puisse imaginer.

Merci à ma famille québec-américaine, qui a langé ce bébé de papier avec soin. Votre talent et votre rigueur n'ont d'égal que le plaisir que j'ai à travailler avec vous.

Merci à Marie-Line, à qui j'ai piqué cette phrase salutaire : *on est tant de choses*.

Enfin, merci à Liette, ma précieuse première lectrice, mon amie de toujours, de partout, mon amie toute d'or et de paillettes, plus belle que les princesses des contes.

MARQUIS

Québec, Canada